BASTEI
LÜBBE

Aus dieser Taschenbuchreihe sind folgende Romane erhältlich. Fragen Sie Ihren Buch- oder Zeitschriftenhändler.

23 001	Fritz Leiber Schicksal mal drei
	Saul Dunn **Stahlauge**
23 002	Die Elasto-Welt
23 004	Die Multizeit-Welt
23 007	Die Wasserwelt
23 003	Norman Spinrad Flammenritt
23 005	Joan D. Vinge Vermächtnis
23 006	Jack Williamson Die Zeitlegion
23 008	Larry Niven Planet der Verlorenen

Steven Spruill

Die Janus-Gleichung

Science Fiction-Roman

BASTEI-LÜBBE-TASCHENBUCH
Science Fiction-Abenteuer
Band 23 009

Deutsche Lizenzausgabe 1982
Bastei-Verlag Gustav H. Lübbe, Bergisch Gladbach
Originaltitel: The Janus Equation
Ins Deutsche übertragen von: Andrea Dorfmüller
Titelillustration: Franco Storchi/Agentur Thomas Schlück
Umschlaggestaltung: Quadro-Grafik, Bensberg
Druck und Verarbeitung:
Mohndruck Graphische Betriebe GmbH, Gütersloh
Printed in Western Germany
ISBN 3-404-23009-4

Der Preis dieses Bandes versteht sich einschließlich der gesetzlichen Mehrwertsteuer.

PROLOG

Die Frau, die sich Jill Selby nannte, wußte, daß sie Paul Essian gegen vier Uhr nachmittags im »Styx« treffen konnte, wo er sich Minze mit Kelaminen genehmigen würde. Sie ließ sich frühzeitig an einem Tisch nieder, der so weit wie möglich von der Marmor- und Onyxtheke der Bar entfernt lag, und wo, wie sie wußte, er sich meistens hinsetzte; noch war es nicht an der Zeit, daß er sie ansprechen sollte. An diesem Nachmittag würde er lediglich auf sie aufmerksam werden; er würde hinüber schauen, sie würde ihm auffallen, und er würde denken: *Ich habe diese Frau doch schon vor zwei Tagen hier gesehen!* Und eine Welle der Erregung würde durch seinen Körper laufen, so als ob er einen elektrischen Schlag erhalten hätte. Jill Selby strich sich über ihren wadenlangen Rock, damit der Schlitz sich öffnete und ihre Beine bis zur Mitte der Oberschenkel sehen ließ. Die Farbe des Rocks war ein tiefes Pflaumenblau, da das ihre schlanke Grazie und die Form ihrer Beine vollendet zur Geltung brachte, und da es Essians Lieblingsfarbe war, die Farbe, die ihn sexuell erregte. Sie ließ eine Hand unter den Tisch in ihren Schoß gleiten, spürte ihr Bein im Seidenstrumpf und fühlte sich wieder sicher.

Ja, er würde sie ansehen, aber warum nur mußte sie es sich immer wieder versichern? Sie brauchte doch gar keine Beruhigung dieser Art, das einzige, das sie zu tun hatte, war abzuwarten. Aber was war, wenn irgend etwas schiefging? Wenn sie einen Fehler machte? Wenn sie ihrer Rolle nicht gewachsen wäre, oder das Spiel überreizte? Ein paar winzige Schweißperlen glänzten auf ihrer Oberlippe, und sie nippte an ihrem Scotch mit Hypominen; das leicht beschlagene Glas diente ihr als Entschuldigung, um sich Mund und Hände mit der Serviette abzutupfen. Es würde alles gutgehen. Keine jener unvernünftigen Ängste, die sie in den vergangenen Wochen gequält hatten, würde sie jetzt heimsuchen. Er würde sie ansehen, aber nicht erkennen; wenn die Zeit reif war, würden sie sich begegnen, ganz natürlich, ohne daß er Verdacht schöpfte, und alles würde gutgehen.

Während sich Jill an die geschwungene Rückenlehne ihres Stuhles lehnte, nahm sie den Schauer, der ihr Rückgrat hinablief, und der eine zwar beharrliche, aber nur zeitweise unter Umständen psycho-somatische, Nachwirkung der plastischen Operation war, kaum wahr. Es war nicht schmerzhaft und kam auch nur selten vor und *nein, er würde sie nicht wiedererkennen.* Sie ließ die Schultern nach vorne sinken und unterstützte die Bio-Feedbacks-Zyklen der Entspannung. Die Musik, die beständig aus den Lautsprechern hinter der Bar dröhnte, machte es ihr schwer, sich zu beruhigen. Die laute, aufpeitschende triebhafte Musik stürzte sie in einen Gefühlswirrwarr, sogar jetzt noch. Ein Teil der alten, tief im Unterbewußtsein verwurzelten Abneigung gegen die Lautstärke, das amorphe, sinnlose Gehämmer war noch immer vorhanden, aber die Musik war auch gleichzeitig aufregend, und das gefiel ihr. Sie wußte, daß es Essian nicht zusagte, und trotzdem kam er hierher, von einem unbewußten masochistischen Gefühl getrieben.

Als ob sie ihn mit ihren Gedanken herbeigerufen hätte, trat Paul Essian durch den hölzernen Torbogen, um den sich schwarze geschnitzte Schlangen wanden, und steuerte zielsicher auf seinen üblichen Platz an der Bar zu, die sich an der hinteren Wand des Raumes befand. Die elastische Gestalt, die in dem nach der neuesten Mode gegürteten Mantel und den dunklen Hosen so mager wirkte, ließ ihr einen Augenblick lang den Atem stocken. Sie hatte keine Ahnung gehabt, wie dieser Teil der Sache aussehen würde; ob sie ihn wirklich so attraktiv finden konnte, daß sie, wenn es an der Zeit war, auch ohne Abneigung und ohne zu zittern würde tun können, was notwendig war. Aber sie fand ihn ungemein anziehend und fühlte, wie kleine Schauer sie überliefen, als er nur durch den Raum ging. Sein Haar war dick, widerspenstig. Das Gesicht wirkte hart, aber gleichzeitig sensibel, und der Körper befand sich in ständiger Bewegung, so wie der eines Kindes. Aber von seinen Händen fühlte sie sich am meisten angezogen. Sie konnte sie aus der Entfernung zwar nicht allzugut erkennen, aber doch gut genug. Es waren wohlgeformte, schöne Hände, in denen die natürliche Anmut seines Körpers noch unterstrichen und betont wurde. Die Hände drückten immer etwas aus, so wie jetzt, als er mit Zeige- und Mittelfinger sacht auf die Theke trommelte; ein Anzeichen seiner Ungeduld, weil der Barkeeper nicht sofort hinübergekommen war.

Als sich Essian umdrehte, beschleunigte sich ihr Puls, denn sie wußte, daß er sie anschauen würde; das war dann schon der zweite Blick zwischen ihnen, ein Blick, der Wiedererkennen spiegeln würde, und ein weiterer Meilenstein auf dem Weg zu ihrer Bekanntschaft. Und er sah sie an; nachdem sein Blick zuerst über die anderen Tische geglitten war, huschte er über ihr Gesicht, aber nur um jenen winzigen Moment zu verweilen, den er sich selber zugestand, denn sie sah ihn direkt an. Diesmal lächelte sie nicht, sondern nahm nur den Augenkontakt auf, hielt seinen Blick fest und gab ihn dann frei, wohl wissend, daß nun alles andere von selber geschehen würde. *Sie würde tun, weswegen sie gekommen war, und wenn es vorbei war, dann, ja dann würde er ihr sein Leben geben.*

I

Paul Essian saß an seinem Schreibtisch und versuchte nicht auf die Gleichung zu starren, als ihn der Anruf aus der Psychiatrie erreichte. Der Bildschirm seiner Notiztafel, der eine Wand des Büros bedeckte, war mit einem Wirrwarr mathematischer Symbole übersät, aber Essian starrte unverwandt durch die unvollständige Gleichung auf sein eigenes Spiegelbild, das ihm unbewegt aus der milchigen Durchsichtigkeit der Tafel entgegenblickte. Die Spiegelung war zu verschwommen, um sich genau erkennen zu können, und so schwang er sich in seinem Stuhl herum und verdunkelte das äußere Fenster des Büros zu einem chromglänzenden Spiegel. Die Augen des Spiegelbildes bohrten sich in die seinen, bis er dann den Blick über die sanfte Rundung der Wange und die fein gemeißelte Nase gleiten ließ; die Haut war so rein und weiß wie Alabaster. Über dem einen Ohr, dort wo er es zwischen den Fingern gedreht hatte, stand das Haar vom Kopf ab. Er glättete es; dann aber brachte er angeekelt das Fenster in einem ungeduldigen Druck auf einen Knopf an der Konsole seines Schreibtisches wieder in Ordnung. Das Telefon läutete, und er wandte sich ihm dankbar zu. Die rosafarbenen und weißen Flecken auf dem Tri-V-Schirm wurden schwächer und verdichteten sich zu Titus Goldings Kopf. Essians Freude über die Unterbrechung verschwand, und er schob seinen Stuhl ein paar Zentimeter zurück.

»Hallo, Titus.«

»Wie geht's denn so, Paul?«

»Gut.«

»Fein. Dann geht es also mit der Gleichung voran?«

Essian lächelte vage und sagte nichts.

Golding lehnte sich in seinen Stuhl zurück, das holographische Bild seines Kopfes verzerrte sich ein wenig, und ein heller Schein flimmerte um die silberweiße Haarpracht. »Paul, würde es Ihnen etwas ausmachen, in mein Büro zu kommen?«

»Jetzt?«

»Wenn Sie Zeit haben.«

Essian wußte genau, was Goldings Freundlichkeit zu bedeuten hatte. Er nickte und schaltete den Schirm ab. Während er durch die mit Teppichboden ausgelegten Gänge des A-Sektors ging, schnürte ihm der Ärger langsam die Kehle zu. Er atmete tief durch, und das Gefühl ließ langsam nach. Ein Sicherheitsbeamter vor dem Ausgang zur Geheimabteilung tastete die Codepünktchen ab, die in sein Handgelenk eingelassen worden waren und winkte ihn in den Hauptteil der Abteilung durch. Als Essian eintrat, saß Titus Golding noch genau so da, wie er ihn zuvor auf dem Schirm gesehen hatte. Aus seinem Panoramafenster, das ganz leicht der Krümmung des Meridian Alpha folgte, blickte man aus einer Höhe von 186 Stockwerken auf den östlichen Bereich der Turmstadt. Der Blick in die anderen Richtungen war derselbe: vom Unterbau des Turmes bis zum äußeren Kreis der Sonnenschilde und Windmühlen erstreckten sich zehn Kilometer Parkland. Hinter den Kraftfeldern befand sich dann der Wald, genauso, wie es schon vor vierhundert Jahren gewesen war, als die ehemaligen Vereinigten Staaten gegründet worden waren. Irgendwo dort draußen verschwand, wie Essian wußte, der Krater von Detroit langsam in der grünen Umarmung des Waldes.

Golding stand auf und bedeutete ihm, Platz zu nehmen; der Stuhl paßte sich seiner Körperform an und begann eine Massage. Essian brachte die wellenförmigen Vibrationen zum Stillstand, indem er sich nach vorne beugte.

»Sie wirken angespannt«, bemerkte Golding.

Essian ärgerte sich über dieses Einleitungsmanöver, sagte aber nichts. *Golding soll sich für seine Einblicke ruhig abstrampeln.*

»Sie haben sich recht vage ausgedrückt, als ich Sie nach der Janus-Gleichung gefragt habe«, fuhr der Psychiater fort.

»Ich glaube nicht, daß ich vage war.«

»Sie haben überhaupt nicht geantwortet . . .« Golding blieb

stehen und lächelte ihn mißbilligend an. »Wir wollen doch keine Haarspalterei betreiben. Ich bin lediglich an Ihrem Wohlergehen interessiert – und an dem des Projekts.«

»Sie kennen den Stand des Projektes genau, sonst wären Sie wohl nicht so an meinem Wohlergehen interessiert.«

»Das ist ein sehr hartes Urteil, Paul.«

»Tut mir leid, Titus.«

Golding saß einen Augenblick lang unbeweglich da und sah in Essians weiches und entspanntes Gesicht, in dem lediglich der starre Blick den Zorn verriet, den er empfand. Unter dem Blick des anderen Mannes verfiel Essians herausforderndes Benehmen langsam, er hatte das Verlangen, wegzublicken und mußte den Kloß in seiner Kehle hinunterschlucken.

»Ich möchte ein Meningigram machen lassen«, sagte Golding.

Essian starrte ihn ungläubig an. »Von mir? Sie wollen mich untersuchen?«

»Ich glaube, das wäre auch in Ihrem Interesse.«

Essian stand auf und ging zum Fenster, wo er sich umdrehte, um gedankenverloren auf den Strudel des Moto-Abstraktums hinter Goldings Schreibtisch zu starren; er sah das Bild und versuchte die Farben zu erfassen und auseinanderzuhalten. »Das ist ein Bordot, nicht wahr?«

Golding ignorierte Essians Bemerkung. »Es ist in Ihrem Vertrag verankert.«

»Das ist die Bestimmung, falls der Arbeitgeber Grund zur Klage hat.«

»Das hört sich an, als ob Sie den Vertrag genau gelesen hätten.«

»Das war nicht nötig.«

Golding lachte entschuldigend. »Das stimmt, Sie haben ja ein eidetisches Gedächtnis. Ganz im Ernst, ich könnte selbst eins gebrauchen. Meine Frau sagt immer . . . «

»Bitte, was werfen Sie mir vor?« Essian mußte feststellen, daß sein Tonfall sehr kleinlaut geworden war, daß er Wehrlosigkeit erkennen ließ. Diese Schwäche ekelte ihn an, aber der Ekel schwächte ihn noch mehr, und so schloß sich der Teufelskreis, an den er sich schon fast gewöhnt hatte, wieder einmal. Golding zeigte bis zu einem bestimmten Punkt sogar Sympathie, aber nun ja – er hatte auch Übung in solchen Dingen.

»Paul, Sie brauchen mir nicht irgend etwas vorzumachen. Ich sitze doch nicht in dem Gremium, dem Sie über das Projekt Rechenschaft ablegen müssen. Ich stehe auf Ihrer Seite. Gemeinsam könnten wir herausfinden, was Sie in den letzten Monaten so zurückgeworfen hat.«

»Jeder hat mal eine schlechte Phase.«

»Ja, aber bei Ihnen nimmt es überhand, Ihre überreizten Reaktionen bei Ihren Mitarbeitern, Ihr häufiges Fehlen durch Krankheit.«

Essian fühlte, wie der Ärger erneut in ihm aufstieg und ihm die Kehle zuschnürte; aber das war ihm fast angenehm. »Ich bin kein Techniker. Ich brauche meine Arbeitsstunden nicht für die Gesellschaft aufzulisten. Wenn Sie mir schon meinen Vertrag unter die Nase reiben, dann sollten Sie vielleicht auch mal einen Blick auf die Zeitvergünstigungen werfen, die man mir bewilligt hat, als ich unterzeichnet habe.«

»Bitte, ich kritisiere Sie doch gar nicht. Ich weiß doch, wie wichtig Sie für uns sind, gerade jetzt. Lassen Sie die Untersuchung vornehmen, Paul. Wir müssen einfach wissen, was schiefläuft, damit wir dem abhelfen können.«

»Seien Sie nicht so verdammt väterlich! Ich weiß doch genau, daß die Leute, die das Sagen haben, lediglich ihre Investitionen schützen wollen.«

»Sie hören sich so zynisch an, so sicher. Wieso sollten die Direktoren es denn *nötig* haben, ihre Investitionen zu schützen?«

Essian wußte, daß er geschlagen war; daß ihn Golding noch eine Weile reden, protestieren und argumentieren lassen würde, aber daß er das Meningigram machen würde. Er würde es zulassen, daß die Finger der Maschine bis in sein Gehirn vordrangen, denn irgend etwas stimmte dort tatsächlich nicht; irgend etwas war dort seit langer Zeit eingesperrt, es lag tief unter der Ebene der Gedanken und der Erinnerung verschüttet. Dieses Etwas drängte nach draußen, zerrte an seiner Konzentrationsfähigkeit, riß Wände ein, ließ die Mauern, hinter die sich sein Ego zurückgezogen hatte, erbeben. Essian ließ zum Zeichen des Einverständnisses den Kopf sinken, und Golding stand auf.

»Gut, Paul. Sie werden sehen, es wird Ihnen helfen.« Der Psychiater führte ihn in einen kleinen zylindrischen Raum, der sich direkt neben seinem Büro befand, und ließ ihn auf einem Sockel vor einer Weltkarte Platz nehmen. Über ihm verlor sich die Decke des Raumes, der doppelt so hoch war wie üblich, im Schatten. Essian empfand das als unangenehm, so als ob man am Grunde eines dunklen Brunnenschachtes säße. Die graue Schaumgummiwand bot dem Auge keinerlei Anhaltspunkt, die Aufmerksamkeit wurde statt dessen auf die Meningigram-Apperatur gelenkt. Essian las die winzige Beschriftung, Ameritec, Inc., die sich um den Äquator der Weltkarte schlängelte, während Golding die Kabel an den Armlehnen und den Beinen des Stuhles anschloß; Blutdruck, GSR, Puls, Atmung, Nervenspannung, optische Reaktionen, das Gleichgewicht von Sympathikus und Parasympathikus und noch weitere Apparaturen, von denen Essian nicht wußte, was sie untersuchen sollten. Golding streifte ihm vorsichtig die Augenklappen über, und Essians Augen zuckten unter den geschlossenen Lidern, als die winzigen Drähte die Haut über den Pupillen berührten.

»Jetzt entspannen Sie sich einfach.« Goldings Stimme strömte irgendwo von der linken Seite her über Essian hinweg. »Bis die Schutzbrille wieder entfernt ist, wird es Ihnen nicht möglich sein, die Augen zu öffnen. Kämpfen Sie nicht gegen die Sonde an; lassen Sie sie einfach in sich eindringen, lassen Sie sie zu einem Teil Ihrer selbst werden. Die Antworten des Gerätes sind Ihre Antworten. Seine Aussagen die Ihren. Es sieht, was Sie sehen . . .«

Goldings Stimme schien im Raum umherzuwandern. Essians Mund war trocken, und er spürte, wie sein Herz schmerzhaft pochte. Das Muskelentkrampfungsmittel schoß kühl seinen Arm hinauf; Arme und Beine wurden in Baumwolle gewickelt, nur sein Gehirn war merkwürdig wach. Dann begannen die Phantasiebilder seinen Geist zu überfluten. *Direkte Netzhautstimulation,* sagte er sich, und eine andere innere Stimme warf das Echo zurück, verschmolz mit der ersten. Ein Raster irisierender weißer Linien entstand vor einem schwarzen Hintergrund; er versuchte die bereits geschlossenen Augen zuzukneifen, aber es gab kein Entkommen.

»Der obere Teil ist kürzer«, platzte er heraus. »Es ist der Computer, der redet, und nicht du.« Essian wunderte sich, weshalb er du und nicht ich gesagt hatte. »Ja, die obere Linie ist länger, kürzer, länger.« Immer mehr Phantasiebilder wurden ihm hinter den geschlossenen Lidern vorgegaukelt, und er versuchte ihr Geheimnis zu ergründen, ihr magisches Feld umzudrehen. »Manchmal kann ich nachts nicht schlafen«, sagte er. »Meine Mutter war eine gute Frau. Ich habe immer alle Leitartikel in der Tageszeitung gelesen. Die meisten Menschen verhalten sich freundlich, weil sie irgend etwas von einem wollen.« Die Sätze quollen in einem beharrlichen Strom aus Essian heraus; wie aus weiter Ferne konnte er das Summen des Meningigrams hören; das leise Klicken der Federn, die die runden und gezackten Linien auf dem hitzeempfindlichen Papier, das aus der Maschine kam, aufzeichneten. Seine Handflächen auf den Stuhllehnen wurden feucht und glitschig.

»Ich habe Angst, Angst«, sagte er – oder die Maschine. »Ich habe Angst vor dem, was die Untersuchung unter Umständen ans Licht bringt.« Ein heftigeres Klicken der Federn, noch eine kühle Welle des Muskelentkrampfungsmittels; dann schwamm er in einem der kristallklaren Teiche des Parklands, roch den herben Duft der Kiefern und fühlte die wärmende Sonne auf seinem Gesicht. In der verzerrten Perspektive des

Fischauges schien sich der schimmernde Turm von Meridian Alpha schützend über ihn zu neigen. Das Wasserpolster unter ihm war warm, so warm wie Fruchtwasser. Er glitt ganz leicht in das neue Bild hinein, denn er wußte, daß es sich hierbei nicht um eine Erinnerung, sondern um eine Phantasie handelte, die ihn von der Welt der Erwachsenen an die Stätte seiner Geburt führte. Da war die endlos lange Reihe der Embryos, die in ihren bernsteingelben Tanks eingesperrt lagen, und deren Nabelschnüre sich wie die Stengel von Unterwasserpflanzen nach oben schlängelten. Und da waren die Gesichter der Eltern, das seiner Mutter, die ihn prüfend anschaute, von der fürchterlichen Trockenheit, die außerhalb des Tanks herrschte, völlig ausgetrocknet. Während er sich treiben ließ, änderten sich die Erinnerungen. Jetzt konnte er seine Mutter sehen, die sich über sein Kinderbett beugte, und hinter ihr, halb im Schatten, nahm er Kopf und Schultern von Ilene wahr, die ihn aufmerksam beobachtete – und mit gemischten Gefühlen. Essian tastete nach der halbverschütteten Erinnerung an seine Mutter und die andere Frau; erinnerte sich flüchtig, wie die beiden einander in den Armen gelegen hatten, an ihre rosa Zungen, die den Mund der anderen erkundeten; an einen kalten, ungewöhnlich großen Türgriff, der sich in seine suchende Hand schmiegte. Er versuchte den Griff loszulassen, aber seine Hände waren in die Baumwolltücher gewickelt – die Nadeln schnellten vor und zurück.

»Ich habe den Mann aus Ameritec getroffen«, sagte er einen Augenblick später mit einer Stimme, die seltsamerweise so klang wie die von Titus Golding. »Er wollte, daß ich meinen Vertrag breche.« Essian versuchte vergeblich, die Worte zurückzuhalten. Als er sich auf die Zunge biß, drang der Schmerz nur schwach bis zu ihm durch, eine Illusion unter so vielen anderen. »Ich habe den neuen Mann zweimal gesehen«, sprach die Stimme weiter, durch zusammengebissene Zähne hindurch. »Ich habe über sein Angebot nachgedacht. Habe darüber nachgedacht. Nachgedacht.« *Klick. Klick.* »Ich könnte

Kontakt mit ihm aufnehmen.« *Klick-klick-klick-klick-klick.* Essian fühlte, wie sein Kopf hin und her pendelte. Es fühlte sich an, als ob in seinem Hals ein Haufen heißer Sand steckte. Jetzt kam eine Pause, in der ihm seine Nerven keinen Streich spielten und ihm Phantasiebilder vorgaukelten, und er konnte den Raum um sich herum wahrnehmen; er spürte Goldings Anwesenheit, der sich hinter seinem Stuhl zu schaffen machte. Dann sah er sein Büro vor sich, so wie er es gerade verlassen hatte, sah, wie die Nachmittagssonne auf den kleinen Zinnsoldaten glänzte, die in einer Miniaturschlachtszene auf einer Ecke seines Schreibtisches aufgebaut waren. Aus irgendeinem Grund erfüllte ihn das Bild mit wohliger Wärme.

»Ich bin Meridian gegenüber loyal«, sagte er/die Maschine. »Ich würde meinen Vertrag nie brechen, Projekt Janus nie verraten.« *Klick.*

Der siebte Satz von Rustichevs kuboider Symphonie für Elektrisches Orchester erfüllte ihn plötzlich, und er gab sich ganz ihrer symmetrischen Eindringlichkeit hin, während die Tücher von seinen Armen und Beinen entfernt wurden, die Taster noch einmal leicht über seine Lider strichen und dann fort waren.

»Sie können jetzt Ihre Augen wieder öffnen«, sagte Golding. Seine Stimme schien die Symphonie in zerbrechliche Scherben zu zertrümmern, die einen Augenblick lang in der Luft hingen, um dann mit dem klingenden Laut berstender Eiszapfen zu Boden zu fallen. Essian blinzelte und sah benommen im Raum umher, bis er auch das letzte Schwindelgefühl aus seinem Gehirn vertrieben hatte und wieder bei vollem Bewußtsein war. Das Meningigram stand vor ihm; ein träger Apparat aus Metall, in den das Firmenzeichen gestanzt war. Er stand auf und ging unsicher zur Tür hinüber – Goldings helfende Hand hatte er abgeschüttelt. Als sie wieder im Büro des Psychologen waren, trat Essian dem älteren Mann gegenüber.

»Sie wußten doch von dem Abwerber.«

»Einer unserer Sicherheitsmänner hat ihn von dem Augenblick an beschattet, als er Meridian Alpha betrat«, sagte Golding. »Er hat sich zwar einer plastischen Operation unterzogen, aber sie haben das radiumähnliche Pünktchen übersehen, das wir ihm links in seinen Hintern geimpft haben, als er das letzte Mal hier war. Aber warum setzen Sie sich nicht?«

»Und so sind Sie ihm natürlich auf Schritt und Tritt gefolgt«, gab Essian zurück und blieb stehen.

»Selbstverständlich. Solange, wie die Abwerber legal hier sind, können wir nicht das Geringste gegen sie unternehmen, aber es gibt keinen Paragraphen im intergemeinschaftlichen Gesetzbuch oder den Konventionen, der besagt, daß wir sie nicht im Auge behalten dürften. Als er Sie in der Bar traf, saß eine von Roshoffs Agentinnen nur zehn Meter weiter mit einem Richtmikro in der Hand.«

»Dann wissen Sie auch, daß ich sein Angebot rundweg abgelehnt habe«, sagte Essian.

Golding nickte bekräftigend. »Zweifellos, zweifellos. Der Mann trug nur dummerweise einen Zerhacker bei sich, so daß wir Ihre Unterhaltung nicht verfolgen konnten. Bitte verstehen Sie unsere Lage. Wir zweifeln nicht an Ihrer Loyalität oder Integrität. Wenn der Mann nicht noch ein zweites Mal aufgetaucht wäre . . .«

»Er ist lediglich ausgesprochen hartnäckig«, entgegnete Essian. Er hatte die Gründe, weshalb ihn Golding untersuchen wollte, gekannt, und trotzdem fühlte er sich hintergangen. »Wenn Sie mit Hilfe des Meningigram nur herausbekommen wollten, was ich mit dem Spitzel geredet habe, dann hätten Sie mich das direkt fragen sollen.«

Golding ließ sich in seinen Sessel fallen und schob den Unterkiefer auf eine Art und Weise vor und zurück, die Essian noch sehr genau von den Biofeedback-Entspannungsübungen her kannte. »Vielleicht haben Sie recht. Wollen Sie etwas zu trinken?«

Essian schüttelte den Kopf, obwohl ein Drink genau das war, was er jetzt bitter nötig gehabt hätte; der Psychiater mischte sich einen Scotch mit Hypominen an der Bar und nippte an dem Getränk.

»Also, was hat die Untersuchung ergeben?« Essian beharrte auf der Frage.

»Nicht viel, fürchte ich. Nur daß Sie über irgend etwas sehr beunruhigt sind, aber das wußten wir ja auch schon vorher.« Golding schwenkte das Glas. »Auf einige Behauptungen, die Ihnen die Maschine während der Symbiose eingegeben hat, haben Sie etwas zweifelhafte Reaktionen gezeigt. Die Nadel hat einen Ausschlag registriert, der vermuten läßt, daß Sie uns in bezug auf Ihren Wechsel zu Ameritec angelogen haben. Sie haben sich mehrmals gegen die Untersuchung gewehrt, aber das ist bei einem Mann Ihrer Intelligenz nicht weiter verwunderlich.« Als Essian nicht antwortete, lehnte sich der Psychiater auf einmal vor und sagte sehr eindringlich. »Ihre Antworten waren oberflächlich betrachtet hinreichend loyal, wie die Untersuchung ergeben hat, aber sie zeigen auch eine geradezu alarmierende Instabilität Ihrer Persönlichkeit. Hätten Sie sich in einem gefühlsmäßig ausgeglichenen Zustand befunden, wäre es Ihnen möglich gewesen, die ganze Untersuchung bei der Intensität, mit der ich Sie gefüttert habe, ohne weiteres geistig abzublocken. Sie befinden sich in irgendeiner Krise; eine Krise, die nicht nur dieses Projekt gefährdet, sondern auch Ihr Verhalten sich selber gegenüber beeinflussen könnte. Ich bezweifle, daß Sie sich hierüber völlig im klaren sind – Ihre Abwehrmechanismen verhindern das zur Zeit noch –, aber Sie zeigen eindeutige Anzeichen einer schweren Depression. Ich möchte, daß Sie sich umgehend einer Psychotherapie unterziehen.«

»Nein«, sagte Essian.

Die einzige Reaktion des Psychiaters war, daß er leicht die Augen zusammenzog.

»Ich habe meine vertraglich festgesetzte Verpflichtung erfüllt«, protestierte Essian. »Wenn Sie mir noch immer nicht vertrauen, so ist das Ihr Problem.«

»Es hat keinen Sinn, daß Sie sich sträuben, Paul. Das Meningigram läßt keinen Zweifel daran, daß Sie eine ernstliche Störung zeigen.«

»Ich ziehe es vor, meine Angelegenheiten allein zu regeln. Es wird nicht mehr lange dauern, bis ich mit der Gleichung weiterkomme; und das ist auch schon alles, worüber Sie und die da oben sich Gedanken machen sollten. Kann ich jetzt gehen?«

Golding gab ihm keine Antwort, und Essian konnte es nicht verhindern, daß er zur Tür ging, daß der Psychiater Zeuge seiner Flucht wurde.

»Bitte erinnern Sie sich an eines«, setzte Golding hinzu, und Essian blieb vor der Tür stehen, ohne sich umzudrehen. »Ameritec ist hinter Ihnen her. Vielleicht ist es nur eine routinemäßige Nachstellung. Aber vielleicht haben sie uns auch nie verziehen, daß wir Sie ihnen vor drei Jahren, während der Rekrutierungskriege an den Colleges, ausgespannt haben. Vielleicht ist es sogar mehr als das.«

»Was meinen Sie damit?«

»Ihr Lieblingskind, die Janusgleichung. Wenn die wüßten, woran Sie arbeiten, wenn die auch nur den leisesten Verdacht hätten, daß Sie Erfolg haben könnten, was glauben Sie, würden die restlichen vier Konzerne tun, um in den Besitz einer funktionierenden Zeitmaschine zu gelangen?«

II

Als Essian das Vorzimmer seines Büros betrat, lief er an seinem Robosekretär vorbei, ohne zu merken, daß er etwas gesagt hatte. Der Robosekretär war ein neues Modell von Transglobal London und intelligent genug, um mit der Tatsache fertig zu werden, daß man ihn nicht beachtete. Er wiederholte seine Meldung mit nur wenig lauterer Stimme.

»Ein paar Minuten nachdem Sie gegangen waren, hat Ihr Chef vorbeigeschaut. Er möchte, daß Sie heute abend zu ihm zum Essen kommen.«

»Oh.« Gewohnheitsmäßig blickte Essain auf den blauen Scanner über der Lautsprechereinheit, so als ob der Robosekretär mit ihm Augenkontakt aufnehmen müßte. Er wollte in sein Büro gehen.

»Soll ich Dr. Winters sagen, daß Sie kommen?«

»Nein,« erwiderte Essian über die Schulter. »Das mach' ich selber.« Er schloß die Tür hinter sich und versicherte sich, daß der Anschluß des Robosekretärs, der sich in seinem Büro befand, abgestellt war. Er mußte jetzt allein sein, auch wenn die Maschine weder seine Körperhaltung noch seinen Gesichtsausdruck interpretieren konnte. Er mußte sich einfach sammeln, überdenken, was geschehen war. Vielleicht konnte er in den Bewußtseinspuren des Meningigrams einen Anhaltspunkt finden, bevor sie sich in einem Traum verloren, der nicht wiederholbar sein würde. Die Sprechanlage summte, und der Sekretär teilte ihm mit, daß Janet Pierson im Vorzimmer wartete. Essians Kopf war auf einmal völlig leer, und während ein paar qualvoller Sekunden entschied er sich dagegen, eine Entschuldigung zu erfinden, um die Frau nicht zu sehen.

»Sie soll 'reinkommen«, sagte er hilflos. Er ging ihr bis zur Tür entgegen, und sie berührte seinen Arm zur Begrüßung, zog aber die Hand schnellstens zurück, als sie die Warnung in seinen Augen las. Er versuchte sie mit einem Lächeln zu überspielen, aber sie hatte schon weggeblickt, sich zurückgezogen und gab vor, den Raum zu inspizieren. Er flüchtete zum Wandschrank, wo sich die Bar befand und goß sich einen nicht gerade kleinen Sherry ein.

»Was zu trinken?«

»Nein, danke.« Aus ihrem Ton war leichte Mißbilligung herauszuhören. Sie ließ sich in dem Sessel nieder, der von Essian am weitesten entfernt war und verschränkte die Hände über dem Knie. Die Handrücken waren sonnengebräunt, der kurze Schopf von der zahlreichen Wochenenden auf der Firmenjacht des Finanzchefs von Merichian fast weiß gebleicht. »Ich wollte nur auf einen Sprung bei unserem Freund und Wohltäter Janus vorbeischauen. Wie ist es? Hat er inzwischen sein zweites Gesicht enthüllt?«

Essian zwang sich zu einem Lachen und schaltete die Notiztafel ein, als er sich hinter seinem Schreibtisch niederließ.

»Siehst du irgend etwas Neues?«

Sie betrachtete die Tafel aufmerksam, während Essian mit der absurden Vorstellung spielte, daß sie erstaunt sein könnte.

»Nichts Neues«, sagte sie.

»Du hörst dich gelangweilt an.«

Sie taxierte ihn, als ob sie herausfinden wolle, wie weit sie gehen könne. »Das ist ganz alleine dein Projekt, Paul.«

»Was soll das heißen?«

»Das soll heißen, daß du der einzige bist, der die Gleichung lösen kann. Ein paar von uns können deinen Berechnungen folgen, aber keiner weiß, wie es weitergeht, keiner kann sie zu Ende führen, wenn er allein gelassen wird.«

»Vorausgesetzt, daß sie überhaupt irgendwohin führt.«

»Die da oben glauben aber, daß es sich lohnt, der Sache nachzugehen.«

»Und du?«

Sie rutschte im Sessel hin und her, schlug die Beine übereinander und verschränkte die Arme. »Komm schon,

Paul. Was macht es schon für einen Unterschied, was ich oder einer der anderen Abteilungsleiter denken? Wir haben uns mit dem Janus-Projekt zu befassen, bis es entweder erfolgreich ist oder gestrichen wird. Der Haken an der Sache ist, daß es keines von den üblichen Projekten ist – jedenfalls in mancherlei Hinsicht nicht. Wenn du abspringst, dann ist da niemand, der in die Bresche springen könnte. Die Leute in der Physikabteilung sitzen jetzt schon einen Monat lang tatenlos 'rum; ihre Mathematikerwitze werden langsam gemein. Weder ich noch einer der anderen Mathematiker können dir helfen. Wir haben weder den Prestman-Preis gewonnen oder einen Vertrag über eine Million Dollar.«

Der Hinweis auf sein Gehalt hatte ihn an seiner empfindlichen Stelle getroffen. Wie oft hatte er sich das schon selber vorgeworfen – daß er sein Geld nicht mehr länger wert war. Er suchte nach einer ätzenden Antwort, aber die Gelegenheit verstrich; sein Schweigen sprach für sich. Er überbrückte die Pause, indem er an seinem Sherry nippte.

»Tut mir leid«, sagte Pierson. »Es ist bloß so, daß die Wetten inzwischen gegen dich stehen.«

»Möchtest du lieber an einem anderen Projekt arbeiten?«

»Das ist ein Schlag unter die Gürtellinie, Paul. Wie würde sich das in meinen Papieren ausnehmen?«

»Daran hab' ich nicht gedacht. Ich möchte nicht, daß meine Mitarbeiter sich meinetwegen unwohl fühlen. Die meisten von euch könnten sich mit anderen Dingen beschäftigen, als darauf zu warten, daß ich mein Schifflein wieder flott bekomme.« Essian stellte fest, daß er um ihre Sympathie heischte. Er stand auf. »Ermutige die Leute, ihre Entlassung zu beantragen. Such' dir irgendwelchen bürokratischen Krempel zusammen und beschäftige den Rest damit. Sobald ich mit der Gleichung einen Fortschritt erzielt habe, lasse ich es dich wissen.«

Piersons Gesichtsausdruck, der bereits etwas weicher geworden war, verhärtete sich wieder, und sie stand auf. »In

»In Ordnung Paul.«

Sie ging, und er sackte in seinem Sessel zurück. Das Glas, das er in der Hand hielt, war fast leer, und das Gefühl, geschlagen worden zu sein, hatte sich noch vertieft. Was war es nur, das ihn neuerdings immer wieder an Pierson störte? Einem Impuls folgend gab er seinem Tischcomputer den Code ein, und auf dem Bildschirm vor ihm erschienen ihre persönlichen Daten. Auf der ersten Seite des Mikrofilms waren zwei Photos zu sehen, das eines jungen Mannes und das einer jungen Frau, die nur wenig Ähnlichkeit miteinander besaßen. Die Überschrift der Beschreibung lautete: *Janet Pierson, 32, früher J. W. Pierson.* Essian ertappte sich dabei, wie er sich ihren Körper vorstellte, braungebrannt und fast mager. War dort, wo sich früher einmal die Geschlechtsorgane befunden hatten, die sie als Mann auswiesen, jetzt eine Narbe? Er schüttelte den Kopf und schob die Gedanken beiseite.

Trotzdem war das, was Pierson getan hatte, noch immer keine Angelegenheit, die man so ohne weiteres einfach akzeptieren konnte. Piersons Abweichung. All die anderen sexuellen Abweichungen, die die Gesetze der von den Konzernen gelenkten Gesellschaft offiziell schützten. Alles in allem konnten es sich die Konzerne nicht leisten, auf die Mitarbeit von jemandem wie Pierson zu verzichten, nur weil sie ... getan hatte, was sie eben getan hatte. Tief in ihrem Innern mochten es ihr die meisten wohl noch immer zum Vorwurf machen, aber nicht die Konzerne. Die Konzerne waren fair. Die Konzerne waren dem Gesetz treu, und es war die Fairneß und Gesetzestreue von Buchstaben auf dem Papier. Aber wieviel Verwirrung man doch im Dickicht der Gefühle, tief unter den geraden Gängen des anerzogenen richtigen Sozialverhaltens, verspüren konnte! War denn Piersons Entscheidung, als Frau zu leben, wirklich emotional nicht akzeptabel? Sie war eine talentierte Mathematikerin, für ihn und Meridian unentbehrlich. Sie wurde respektiert, und diesen Respekt schuldete man ihr auch; sie hatte sogar einen Liebhaber gefunden, obwohl der Finanzchef des Konzerns ein berüchtigter Wüstling war und doppelt so alt wie sie – ein Mann, dessen Ausschweifungen ein ständiger Prüfstein für das Prinzip waren, das hinter der Sozialpolitik des Konzerns stand: *Toleranz gegen Leistung.*

Aber was war mit den Leuten, die weniger begabt waren, deren Fähigkeiten ihre Abweichungen niemals aufwiegen konnten? Das Gesetz gegen die Diskriminierung sexueller Minderheiten schützte auch sie, zumindest vor öffentlichen Belästigungen, aber was bewahrte sie vor Mißachtung? Die Vorstellung von seiner Mutter und Ilene, die sich ihm noch immer aufzwängte, sobald er die Augen schloß, kehrte zurück und ließ ihn die Beinmuskulation fluchtbereit anspannen. *Seine Mutter hatte ihn geliebt.* Das *wußte er genau, aber sie hatte auch die Liebe von jemand anderem benötigt – aber brauchte das nicht jeder? – und er konnte es verstehen, er konnte es wirklich. Die Frage war noch nicht einmal, ob er ihr vergeben hatte. Sie hatte keinerlei Vergebung nötig; die Gesellschaft hatte das schwarz auf weiß bestätigt. Und wenn die Gründe der Gesellschaft selbstsüchtig waren, lediglich verankert, um die wenigen außergewöhnlichen Mitarbeiter zu schätzen, die man mit Intoleranz nur verloren hätte, dann war das Gesetz nicht weniger unmoralisch. Also, warum nur glaubte er, ihr so viel verzeihen zu müssen? Sie hatte ihr Bestes getan. Es gab nichts, was man ihr nachsehen mußte. Seine Mutter hatte eine andere Frau geliebt, so wie eine Frau sonst nur einen ;Mann liebte, und das war in Ordnung, es war alles so ...*

Essian stellte auf einmal fest, daß er beide Hände zu Fäusten geballt und auf die Schreibtischplatte gepreßt hatte. In den Handkanten prickelte es, obwohl er sich nicht daran erinnern konnte, auf den Tisch eingeschlagen zu haben. Ja, Pierson. Vielleicht hatte sie mit Golding gesprochen, hatte ihn darauf aufmerksam gemacht, daß ... daß was? Daß er durch die Leute hindurchsah, während sie mit ihm sprachen, daß er zwischen Fenster und Schreibtisch einen Pfad auf dem Läufer ausgetreten hatte, daß er in immer kürzeren Abständen den

Alkoholbestand seiner Bar auffrischte? Hatte er nicht unbewußt schon bemerkt, daß ihn Janet in den vergangenen Wochen beobachtet hatte? Oder drehte er durch? Vergeblich suchte Essian in der Begegnung mit Pierson nach einem Anzeichen dafür, daß sie über seinen Besuch bei Golding gewußt hatte. Er trat ans Fenster und starrte gedankenverloren auf die Parklandschaft. Die Ränder der Sonnenschirme befanden sich jetzt im Schatten, aber die Flügel der Windmühlen drehten sich bereits im leichten Abendwind. Was hatte Golding doch noch gesagt? *Ernsthaft gestört.*

Essian fühlte, wie Panik in ihm aufstieg. Eine unerklärliche Furcht vor dem, was in seinem Innern entfesselt werden könnte. Sein Leben lang hatte immer ein Ausgleich in ihm stattgefunden, war er von seinem Intellekt im Gleichgewicht gehalten worden, von der fast ununterbrochenen Arbeit seines Verstandes, der sich mit den verzwickten, aber lösbaren Problemen der Logik und Mathematik befaßte. In den Augenblicken, in denen ihn die Angst übermannte, wußte er, was er sonst zu unterdrücken imstande war: daß er an der Janus-Gleichung scheitern würde, wenn es ihm nicht gelang, sein inneres Gleichgewicht wiederherzustellen. Er wußte, daß ein Psychologe seiner Einsicht sicherlich Beifall gespendet hätte, aber er war nun einmal kein besonders psychologisch geschulter Mann, und so wußte er auch nicht, wie er den Gedanken in die Tat umsetzen sollte. Er hatte sein seelisches Gleichgewicht immer durch die Arbeit aufrechterhalten: durch *Denken*. Seine Intuition betraf sehr viel häufiger seine Arbeit als ihn selber. Es war verrückt! Er konnte nicht arbeiten, bis er nicht seine alte Ausgeglichenheit wiedergefunden hatte; aber Arbeit war der einzige Weg, den er kannte, um sie zu erlangen.

Heute hatte er in Goldings Büro etwas getan, was noch vor einem Jahr undenkbar gewesen wäre, und es hatte ihm nicht geholfen. Er konnte den Dämon, den er in sich fühlte, weder ausleben noch ihn in seinem Innern einsperren. Während

Essian noch aus dem Fenster starrte, begann die Beklemmung zu schwinden und fiel dann ganz von ihm ab. *Er mußte einfach 'mal ausspannen, mußte verdammt nochmal ausspannen.* Einen Augenblick lang überlegte er, ob er sich sofort zu Winters Apartment begeben oder vorher noch an die Bar gehen sollte. Zehn Minuten später ließ er sich an der Marmor- und Onyxbar des »Styx« nieder, ohne sich bewußt an die lautlos dahinrollenden Laufbänder und Fahrstühle zu erinnern. Der Barkeeper kam zu ihm hinüber und setzte den kleinen Plastikkegel eines Inhaliergerätes vor ihn hin.

»Das übliche, Doc?«

Essian nickte. Der Barkeeper stöpselte das eine Ende des Schlauches hinter der Bar ein, und rosa Dampf strömte in die Maske. Essian schob unter der hohlen Hand einen Zehner über die Theke. Der Keeper bedankte sich kopfnickend, zögerte dann. Essian sah, wie er ihm mit den Augen bedeutete, zur Seite zu schauen, während sich auf seinem Gesicht ein verschwörerischer Ausdruck breitmachte. Als Essian sich umwandte, sah er die schwarzhaarige Frau, die auf den Hocker, zwei Plätze weiter unten, zusteuerte. Heute trug sie ein knappes schwarzes Oberteil und einen Rock, der vorne und hinten aus einem fast bodenlangen Streifen Stoff bestand und in der Taille auf jeder Seite von einem feinen Goldkettchen zusammengehalten wurde. Als sie sich hinsetzte, glitt das Vorderteil des Rockes zwischen ihre wohlgeformten Beine und flatterte in kleinen Wirbeln, die von der Klimaanlage in der Bar erzeugt wurden, gegen das Unterteil des Stuhles. Sie warf ihm einen kurzen Blick zu, und Essian glaubte, sie nicken gesehen zu haben; plötzlich spürte er sein Herz schmerzhaft schlagen, und ein Blutstrom schoß ihm ins Gesicht. Der Barkeeper blinzelte ihm zu, was sein Unbehagen etwas dämpfte, und begab sich ans andere Ende der Bar. Essian preßte den Inhalator gegen das Gesicht, atmete den kühlen Nebel ein, der feucht nach Minze schmeckte, und sagte sich, daß zwei Wochen eine zu lange Zeit waren, wenn man mit einer Frau reden wollte und es nicht tat. Die rosa Nebel taten ein übriges; er wandte sich ihr genau in dem Augenblick zu, als ein großer Mann mit einem blonden Lockenkopf zwischen ihm und der Frau Platz nahm und ganz zwanglos mit ihr zu reden begann.

Essian setzte seinen Trichter auf der Theke ab, stand auf und ging hinaus, ohne auch nur einen Blick auf den Mann, die Frau oder den rosa Nebelfaden, der zur Decke aufstieg, zu werfen.

Das »Styx« befand sich im untersten Bereich eines Vergnügungskomplexes, der sich über fünfzehn Stockwerke hinweg spiralförmig um den gigantischen Käfig eines Vogelhauses gliederte. Die keilförmigen schmalen Läden, Theater, Arkaden und anderen Gebäude hatten auf der Seite zum Vogelkäfig hin alle einen terrassenartigen, überdachten Vorraum. In diesem inneren Zirkel strömten die vergnügungssuchenden Bewohner der Stadt über die spiralförmigen Rolltreppen von einem Stockwerk ins andere. Essian übersah geflissentlich die Rolltreppen und begann, die Stufen hinaufzusteigen; fünf Stufen und eine Terrasse, fünf Stufen und eine Terrasse. Die Bewegung seiner Beine machte ihm den Kopf klar, und er blieb erst stehen, als er sah, daß das Dach des Vogelhauses und des Vergnügungscenters sich nur noch ein Stockwerk über ihm befand. Er kletterte auf eine der Aussichtsplattformen, die sich über eine Rolltreppe spannte, und beobachtete die tropischen Vögel, die mehr als hundert Fuß unter ihm durch die Gicht der Fontäne des Springbrunnens schossen. Auf der anderen Seite des Vogelhauses, ein wenig unterhalb, sah er eine Frau mit kinnlangem schwarzen Haar. Er beugte sich nach vorne und spähte durch die Abschirmung, aber bevor er noch herausfinden konnte, ob es die Frau aus der Bar war oder nicht, war sie schon in einer der Türen verschwunden. Essian verließ die Plattform, nahm die Treppe, immer zwei Stufen auf einmal, sprang auf die Rolltreppe, drängelte sich an zwei kahlgeschorenen Teenagern vorbei und eilte weiter nach unten, ohne die Tür aus den Augen zu lassen.

Als er sie erreicht hatte und die Aufschrift über dem Eingang las, zögerte er einen Augenblick bevor er eintrat. Er sprach mit der Eigentümerin, einer geschmackvoll gekleideten Frau von ungefähr fünfzig Jahren, die ihn in ein Zimmer führte. Er wartete und streckte sich dann ein wenig unbehaglich auf dem Bett aus, das sich vom Boden nur durch seine Bettdecke aus Satin abhob. Einen Augenblick später öffnete sich die Tür und ließ die schwarzhaarige Frau ein, deren Gestalt violette Schatten warf, als die lichtempfindlichen Algen vom Jupiter in der Decke des Raumes auf ihre Anwesenheit reagierten. Er wagte es nicht, ihr ins Gesicht zu blicken, als sie durch den Raum auf ihn zukam und sich neben ihm niederkniete.

»Sie haben nach mir gefragt? Sind wir uns schon einmal begegnet?« Ein Duft nach Rosen und Zitronen stieg Essian in die Nase.

»Ich habe Sie hier hineingehen sehen.« Er zwang sich, sie anzuschauen. Das Gesicht befand sich im Schatten, in dem merkwürdigen Gegenlicht der Decke, aber es war hell genug in dem Raum, um zu sehen, daß es nicht die Frau aus der Bar war. Plötzlich wurde er sich der Unbesonnenheit seiner Handlung bewußt. Er war einer fremden Frau in ein fremdes Haus gefolgt. Er hatte sie miteinander verwechselt, hatte sich selber vorgemacht, daß dies die Frau sei, mit der er in seiner Phantasie ein Verhältnis eingegangen war. Er saß auf dem Bett einer Hure – er konnte ihn immer hochkriegen, für jede Frau und zu jeder Zeit, aber das war nicht der Grund, weshalb er hier war. Die Spannung, das Gefühl, keine Luft mehr zu bekommen, das ihn immer in den ungeeignetsten Momenten überfiel, stieg in ihm auf; aber das war nur ein Zufall, ein dummer Zufall, dessen war er sich sicher, und es würde in einer Minute schon wieder vorbei sein. Er atmete verstohlen durch und ließ den Kopf auf seinem verkrampften Nacken leicht hin- und herrollen.

Die Frau streifte das Hemd von den Schultern, sie hatte volle Brüste mit dunklen Warzen und einen flachen Bauch. Das

Gewand fiel zu Boden, als sie sich mit einer geschmeidigen Bewegung, die das Bett kaum eindrückte, neben ihn legte. Sie tastete sich zu ihm hinüber, und eine Hand fuhr am Verschluß des Jumpsuits entlang, glitt hinein und strich über seine Brust. Essian überlegte, ob er gehen sollte, erkannte, daß er es nicht konnte. Die Prostituierte streichelte mit ihren Händen leicht über seinen Körper hinweg, glitt tiefer und tiefer, strich über seine Schenkel, seine Waden; eine Hand kam schließlich auf der verhärteten halbmondförmigen Narbe an der linken Ferse zur Ruhe, die er sich vor drei Jahren bei einer Standfete zugezogen hatte, als er in eine Glasscherbe getreten war. Ihre Hände waren nicht unangenehm, und er merkte, wie er sich allmählich entspannte.

»Die Farben«, sagte sie. »Du wirfst blaue und grüne Schatten an die Decke. Ich mag Männer mit Selbstbeherrschung.«

Fast hätte Essian über diese naive Schlußfolgerung gelächelt; sie war sogar trotz all der Tünche und ihres gekünstelten Benehmens immer noch schön. Die meisten Männer hätten – aber eben nicht alle. Essian lächelte, aber dieses Lächeln trug einen Anflug von Hysterie, und er richtete sich auf, um sich ein paar Einzelheiten im Leben dieses Freudenmädchens vorzustellen. Unter Umständen war sie gar keine richtige Hure; sie war vielleicht nur ein Modell aus den mittleren Stockwerken wie so viele andere, die sich in dem Freudenhaus noch etwas Geld dazuverdiente oder darauf wartete, von irgend jemand entdeckt zu werden. Vielleicht gehörte ihr aber auch ein kleiner Kunsthandel, wo sie impressionistische Holographien verkaufte, und vielleicht ging sie jeden Dienstag zum Gottesdienst in die Panheterodoxe Kirche.

»Du bist so ruhig«, sagte sie und malte ein Muster auf die Haut über seinen Rippen. »Möchtest du lieber, daß ich still bin?«

»Nein, red' ruhig weiter. Was hast du heute gemacht?« Essian war sich ganz sicher, daß sie die Spannung in seiner

Stimme spürte, aber sie lachte nur, stützte ihre Hände auf seine Knie und glitt langsam höher, lehnte sich immer weiter über ihn, bis sich ihre Finger endlich um seine Schultern schlossen. Dann legte sie sich langsam über ihn, bis ihre Lippen ihn fast berührten, und er fühlte den warmen Hauch ihres Atems. Sie fing an, ihm seinen Jumpsuit von den Schultern zu streifen, aber er hielt ihre Hände fest. Sie glitt zur Seite und sank auf dem Bett nieder, während er den Anzug auszog und sich zu ihr hinüberrollte. Wie im Traum spürte er ihre Finger, die über seinen Körper tasteten und den Schlüssel zu seinen Gefühlen suchten; die sein Verlangen befriedigen wollten, damit er später, wenn alles vorbei sein würde, ohne zu zögern seinen Preis zahlte. Er reagierte automatisch, und in seinem Gehirn war nur ein einziger Wunsch vorhanden, so sehr er sich auch bemühte, einen klaren Kopf zu bekommen. Sein Körper gab sich diesem Verlangen vorübergehend hin, er bewegte sich und suchte nach jener Öffnung ihres Körpers, die nicht von selbst naß sein würde, sondern die sie vorher mit einer besonderen Creme angefeuchtet hatte. Er versuchte hastig in sie einzudringen, und ihre Hand tastete sich nach unten, um ihm zu helfen, so als ob sie spüren würde, daß es schnell gehen mußte. Er berührte sie, ihre Lippen sogen sich an den seinen fest, wollten ihn einlullen – alle Kraft verließ ihn, er sank in sich zusammen – und versagte.

III

Essian lehnte sich gegen das Geländer von Winters Balkon und ließ den leichten Wind kühlend über sein Gesicht streichen, während sein Gastgeber hinter ihm geschäftig zwischen Küche und Eßzimmer hin und her eilte. Die Welt ringsum war pechschwarz bis zum Horizont; die einzige Ausnahme war der ungefähr zehn Meilen entfernte Möwensee, der in der Nacht wie Quecksilber schimmerte. In westlicher Richtung, hinter der Erdkrümmung, warf Ameritec III seinen Phosphorglanz wie ein aufgehender Mond in den Himmel.

Die Glastür hinter Essian öffnete sich, und Winters Hand legte sich auf seine Schulter. »Wunderschön, nicht wahr?«

»Ja.« Essian fühlte sich geborgen, eingehüllt von der massigen Gestalt seines Freundes, die gegen die Lichter der Apartments wie eine surrealistische Silhouette wirkte. Die Hand auf seiner Schulter hatte mit ihm eine Verbindung aufgenommen, wie sie durch Worte niemals möglich gewesen wäre. Sie stützte und stärkte ihn, so als ob ihre gezähmte Kraft auf ihn überströmte und die seine wurde. Die Hand sagte *du bist nicht allein*. Essian war dankbar dafür, und deshalb lächelte er: »Ich bin zu spät gekommen, und du hast schon gegessen. Du solltest dir jetzt wirklich nicht mehr die Mühe machen . . .«

»Du hast völlig recht. An einem der nächsten Tage werde ich unter der Arbeit zusammenbrechen und mein kostbares Leben aushauchen.«

Essian mußte lachen, war erstaunt, denn eigentlich war ihm gar nicht danach zumute.

»Jetzt komm 'rein und laß dich abfüttern«, sagte Winters, »sonst bläst dich noch dies leichte Lüftchen um.«

Winters lehnte ein zweites Abendessen ab und beobachtete Essian, wie er in seinem herumstocherte. Danach zogen sie sich ins Kaminzimmer zurück, einen kleinen Raum, dessen Wände mit bernsteingelber Kunstglaspaneele von Phobos furniert waren und in dem gemütliche Armsessel standen. Essian sah zu, wie sein Freund in die maßgeschneiderte Jacke schlüpfte, die er nur zum Rauchen trug, und sich eine seiner alten Bruyèrepfeifen stopfte. Winters hätte ein Schauspieler sein können, die großartige Verkörperung des gewitzten Detektivs oder des weisen Arztes, mit dickem Schnurrbart und braunem, vollem Haar, das er nach hinten gekämmt trug. Die hohe Stirn und der fast dämonische Schwung seiner Augenbrauen gaben dem Gesicht einen Ausdruck von Stärke. Winters hielt seinen Körper ausgezeichnet in Form. War in seinen Bewegungen aber nie affektiert, wie es die Art von vielen kräftigen Männern ist, und er spielte auch nie auf seine Größe oder Kraft an. Essian schwenkte den Cognac, den ihm Winters nach dem Essen eingegossen hatte, und sog, verwundert über das fast sinnliche Gefühl, das er dabei empfand, den würzigen Rauch der Pfeife ein. Als ob er seine Gedanken gelesen hätte, lächelte Winters und blies einen vollendeten Rauchkringel, der an die Decke schwebte, wo er sich dann auflöste.

»Nun, mein Freund«, sagte er leise. »Du solltest mir vielleicht erzählen, was schiefläuft.«

Essian tat zwar so, als ob er erstaunt sei, aber in Wirklichkeit war er froh, daß es Winters verstanden hatte, seine Gedanken zu lesen. »Du meinst die Gleichung?«

»Ich meine dich. Irgend etwas belastet dich. Ich vermute das schon seit einigen Wochen, und heute abend tauchst du hier mit Leichenbittermiene auf.« Essian bekam ein kleines Lächeln zustande. Winters beugte sich nach vorne und legte ihm eine Hand aufs Knie. »Es tut mir leid. Es ist bestimmt nicht komisch, was immer es auch sein mag. Ich kenn'dich schon seit ein paar Jahren. Ich weiß, daß du kein Schwätzer bist, aber vielleicht ist es jetzt wirklich an der Zeit, etwas zu sagen.«

Essian nippte an seinem Brandy und ließ den feurigen Tropfen über die Zunge rollen. »Das Problem an der Sache ist, Eric, daß ich nicht weiß, was los ist.«

»Du siehst ziemlich mitgenommen aus heute abend. Ist

irgend etwas Bestimmtes passiert?«

Essian machte eine abwehrende Handbewegung. »Ich bin in einen Puff gegangen, und dann konnte ich ihn nicht hochkriegen. Das hat keinerlei Bedeutung.«

Winters legte sich zurück, und seine Augen waren jetzt im Schatten verborgen. »Wirklich nicht?«

»Verdammt, ich wußte noch nicht einmal, was ich dort eigentlich wollte.«

»Die meisten Männer gehen dorthin, um einmal nicht auf ihre eigene Hand angewiesen zu sein.«

»Das stimmt, Eric. Ich hätte mir genausogut selber einen 'runterholen können – und das ging nicht. Du hast sicher schon davon gehört, Impotenz; Gott, was für ein Wort. Das ist etwas, was Ehemänner haben, wenn der Sex mit ihrer Frau eintönig geworden ist, oder Halbstarke, wenn sie Schiß vor der eigenen Courage bekommen. Das ist keine Sache, die bei einer Nutte zu passieren pflegt, noch dazu bei einer gutaussehenden.«

In Winters Augen erschienen Lachfältchen, die sich aber schnell wieder glätteten, als er ernst wurde. »Du scheinst in der beneidenswerten Lage zu sein, noch viel über Sex lernen zu dürfen.«

»Ich hab' noch nie einen so nett verpackten Vorwurf gehört.«

»Es ist nicht als Vorwurf gemeint. Ich weiß, daß das, was dir heute abend passiert ist, von großer Bedeutung ist. Impotenz ist zwar ein scheußliches Wort, aber du bist nicht machtlos dagegen, Paul.«

»Das ist es. Es ist das Wort, das einen so erschreckt, und nicht die Tatsache an sich.«

Winters nickte erwartungsvoll, die Augen halb geschlossen und den Kopf in Rauchwolken gehüllt. Als ihm Essian von dem Meningigram erzählte, öffneten sich seine Augen und sahen ihn scharf an. »Du hättest es nicht zulassen dürfen, daß sie dir mit diesen ekligen Dingern in deinem Kopf 'rumfuhrwerken. dem Moment, als dich Golding anrief, hättest du mir Bescheid geben sollen. Ich hätte es verhindert.«

»Sie sind dazu befugt«, sagte Essian.

»Was ist denn mit ihrer moralischen Verpflichtung? Das ist Beschneidung der Freiheit deiner Gedanken. Du bist dir wohl überhaupt nicht über deine Lage im klaren, oder wie? Du bist eines Tages einfach in die Chefetage einer der fünf großen Mächte der Erde marschiert und hast diesen Schwachköpfen erzählt, daß du ihre Uhren rückwärts laufen lassen könntest. Die würden ihre eigene Mutter verkaufen, um jetzt von dir zu bekommen, was du ihnen versprochen hast.«

»Ich glaube nicht, daß . . .«

»Paul, ihr Projektleiter habt euren Kopf entweder in den Wolken oder in den Sand gesteckt; dazwischen gibt es für euch nichts. Ich habe mich über eine Reihe von Jahren um drei von euch gekümmert, und in dieser Hinsicht seid ihr alle gleich. Ich glaube fast, ihr werdet dafür bezahlt. Ich aber, ich werde dafür bezahlt, daß ich weiß, was hier vor sich geht. Dies Projekt frißt dich auf.«

Etwas in Winters Bemerkung weckte Essians Aufmerksamkeit, zeigte ihm einen Mann, den er bislang nicht richtig zu schätzen gewußt hatte – einen Schirmherrn, einen treuen Gefolgsmann, der nach Feinden Ausschau hielt, die schon an der nächsten Ecke lauern konnten. Es war eine Rolle, die Winters offensichtlich gerne spielte, *ich habe mich um drei von euch gekümmert,* es gab keinen Grund, weshalb er seine Aufgabe mit gemischten Gefühlen betrachten sollte. Winters hatte vor zwölf Jahren bei Meridian angefangen, nicht als Chef der Verwaltungsabteilung, sondern als Projektleiter in der Abteilung für angewandte Physik. Man hatte ihn für einen vielversprechenden, wenn nicht sogar hervorragenden Projektleiter gehalten, aber er hatte die Stellung in der naturwissenschaftlichen Abteilung schon vier Jahre später wieder aufgegeben. Von diesem Zeitpunkt an hatte er als Chef des Stabes operiert, als Vertrauensmann, als Mittler, als Anwalt für die Probleme der anderen.

Für die meisten Menschen mit Winters' naturwissenschaftlichem Wissen hätte diese Rolle des Mannes im Hintergrund das Verkümmern ihrer geistigen Anlagen bedeutet, aber Winters schien sich nicht darum zu zu scheren, ob er in der Firmenhierarchie nun aufstieg oder nicht. Dieses Fehlen jeglicher aggressiver Handlungen, um die eigene Karriere voranzutreiben, war bei einem Mann mit Winters' äußerem Erscheinungsbild doppelt unverständlich; ein Mann, dessen wache Intelligenz und kraftvoller Körper dazu bestimmt zu sein schienen, zu herrschen.

Die Einsicht, daß Winters' Körper für die meisten Menschen in völligem Widerspruch zu seiner inneren Einstellung stand, verursachte Essian einen Schweißausbruch; das Abendessen lag ihm schwer im Magen, und er spürte, wie es ihn würgte. *Nein, der Körper hatte keine Bedeutung; er war nichts weiter als eine Hülle. Der Körper hatte nicht sehr viel mit dem Verhalten zu tun, das die Menschen an den Tag legten. Wichtig war, wie man sich selber verhielt . . . sich selbst gegenüber . . .*

Winters hatte ihn interessiert beobachtet. »Paul, du siehst nicht gut aus. Vielleicht sollten wir das Thema fallenlassen . . .«

»Nein, mir geht's gut. Vielleicht habe ich eine leichte Grippe.« Essian nahm ein paar Schlucke von seinem Brandy, und als dieser das flaue Gefühl in seinem Magen fortbrannte, entspannte er sich etwas. »Insofern als es das Projekt betrifft, weiß ich deine Besorgnis zu schätzen, aber ich werde schon allein mit den Schwierigkeiten fertig.«

»Vielleicht.« Winters schraubte die Pfeife auseinander, entfernte gewandt und ohne hinzusehen den braunfleckigen Filter und ersetzte ihn durch einen neuen. »Paul, bist du dir sicher, was Janus betrifft? Bist du dir sicher, daß du die Gleichung lösen kannst?«

Essian zuckte die Schultern. »Ob ich mir sicher bin? Nein. Alles, was ich bisher herausgefunden habe, ist entweder auf der Notiztafel in Arbeit oder befindet sich auf meinem Schreibtisch zu Hause. Während des letzten Monats habe ich meine Tage damit verbracht, auf die Notiztafel zu starren und des nachts auf meine Papiere; immer in der Hoffnung, daß mir die Lösung einfallen würde. Ich dachte, ich hätte angefangen zu begreifen, was Zeit bedeutet. Ich glaube, ich war kurz davor, es zu definieren, ohne für das Wort in der Definition bloß ein anderes Wort mit der gleichen Bedeutung benutzen zu müssen, wie es allgemein üblich ist.« Essian bemerkte die leichte Unsicherheit in seiner Stimme, als ihm der Brandy vom Magen in den Kopf stieg.

»Paul, vielleicht bist du mit dir selbst zu streng, wenn das Problem gar nicht an dir liegt. Vielleicht gibt es einen winzigen, aber nicht zu behebenden Fehler in dem Konzept für die Reise in der Zeit, den du vor Monaten, als du die groben Basisrechnungen ausgeführt hast, noch gar nicht feststellen konntest. Vielleicht beschäftigst du dich gerade jetzt mit dem Fehler, ohne es zu merken.«

Essian merkte wohl, daß Winters ihm helfen wollte, daß er es ihm erleichtern wollte, sich von der Verantwortung zu entbinden. Aber er konnte einfach nicht aufgeben. Die Gleichung mußte fertiggestellt werden. Es war nicht nur seine Berufsehre, die das von ihm forderte, sondern noch etwas anderes, etwas sehr viel Intensiveres und Eindringlicheres, fast so, als ob eine Kraft außerhalb seiner selbst ihm keine andere Wahl ließe. Diese Ansicht war zwar in ihrer irrationellen, fast mystischen Kraft sehr befremdend, aber durch nichts zu erschüttern. Die Sicherheit, daß Janus auf irgendeine unerklärliche Art und Weise für sein ganz persönliches Überleben essentiell wichtig war, war noch intensiver als die Gewißheit eines unabänderlichen Schicksals. Es war dieses Gefühl, das ihm die Gewißheit seiner erlittenen Niederlage so unerträglich machte. Essian sah, daß Winters auf eine Antwort wartete, aber er, er selber, brauchte sie noch viel dringender. *Was konnte er nur sagen, das ihm Sicherheit geben würde?*

»Ich glaube noch immer, daß ich die Janus-Gleichung lösen kann, Eric, aber ich habe den roten Faden verloren. Ich setze mich hin, um daran zu arbeiten, und fünf Minuten später steh' ich auch schon wieder auf. Ich gehe das, was ich gearbeitet habe, noch einmal durch, aber auf halbem Wege muß ich wieder von vorne anfangen, weil ich nicht aufgepaßt habe. Ich versuche, mich in die Sache hineinzuknien, aber das leiseste Geräusch stört mich; im Zimmer ist es mir entweder zu kalt oder zu heiß, oder die Stuhllehne drückt mich am Rücken. Manchmal macht es mir sogar Mühe, meine Augen nur auf die Notiztafel zu richten.«

»Irgend etwas lenkt dich ab.«

»Möglich.«

»Möchtest du darüber reden?« Abweichend von seiner sonstigen Gewohnheit blickte ihn Winters nicht an, während er mit ihm sprach. Die Frage hatte fast schüchtern geklungen.

»Ich glaube nicht«, sagte Essian. »Nicht jetzt.«

»Das Angebot bleibt bestehen.«

Winters blickte ihn an, und augenblicklich war ein Teil von Essians Unbehagen wieder da. Er nickte mit dem Kopf.

»Vielleicht solltest du das Projekt aufgeben«, sagte Winters. »Der Druck wird dir auch nicht bei . . . bei deinem Problem helfen.«

Essian spürte, wie die Mauer der Abwehr in ihm wuchs. *Warum hatte Winters Problem gesagt, anstatt Probleme, so als ob er bereits wüßte, was ihm fehlte? Warum konnte Winters das Thema nicht endlich fallenlassen? Dies Nachbohren, dies Bemühen, ihn davon zu überzeugen aufzugeben, ging ihm allmählich auf die Nerven.* Essian wartete, daß der Angstpegel ein wenig absank, suchte nach einer Lücke in seiner eigenen Abwehrmauer, durch die er zurückschlagen konnte, ohne sich selber preiszugeben oder Winters wissen zu lassen, wie verwirrt und verängstigt er in Wirklichkeit war. Er sagte: »Du redest immer von irgendwelchen Schwierigkeiten, und ich weiß noch immer nicht, was du eigentlich meinst.«

»Paul, wenn du mit der Gleichung recht behältst, dann werden dir viele als dem größten Genie der Menschheit huldigen.«

»Das ist nicht wahr. Das betrifft nicht mich.«

»Himmel hilf! Das meinst du doch wohl nicht ernst! Geht es dich auch nichts an, daß dein Name das gemeinste Schimpfwort in der Geschichte werden könnte – falls das Wörtchen ‚Geschichte' in einem Jahr überhaupt noch eine Bedeutung hat?«

»Jetzt wirst du aber melodramatisch.«

»Und du ignorierst die Realitäten, so wie eine lange Reihe von Genies vor dir. Hast du je darüber nachgedacht, was es bedeuten würde, durch die Zeit zu reisen?«

»Natürlich.«

»Das glaube ich nicht; jedenfalls nicht richtig. Wie lange würde es wohl dauern, bis irgendein Irrer in der Zeit zurückfahren und Präsident Arrington umbringen würde, bevor er die Vereinbarung zwischen den Konzernen unterzeichnen konnte, oder Ogilvy von der Bildfläche wischen würde, bevor er das Antigraviationsprinzip entdecken konnte? Was glaubst du wohl würde passieren, wenn dieser Möchtegern-Attentäter im alte Dallas John Kennedy umgebracht hätte, anstatt lediglich die Polsterung seines Wagens zu ruinieren? Es war erst in seiner zweiten Regierungsperiode, daß Kennedy zu erahnen und zu begreifen begann, was damals nicht mehr als eine gerade aufkommende und chaotische Macht war. Seine Autobiographie macht ganz deutlich, daß er erst in seiner zweiten Amtszeit begriff, daß ein möglicher Weg, die Welt zu einen, in einer Verschmelzung und Konsolidierung der Außen- und Innenpolitik lag. Vielleich gäbe es die fünf Konzerne überhaupt nicht, und die Welt wäre noch immer ein ungeordneter Haufen kleiner nationalistischer Staaten. Dich und mich gäbe es unter Umständen gar nicht, immer vorausgesetzt, daß die Welt das nukleare Säbelrasseln des zwanzigsten Jahrhunderts überstanden hätte.«

Essian rutschte unbehaglich in seinem Sessel hin und her. »Deine Phantasie geht dir durch. Es ist schwierig zu erklären. Einstein befand sich auf dem richtigen Weg; Masse und

Energie sind untrennbar miteinander verbunden, und wenn man das Problem wirklich lösen will, dann muß man Masse und Energie mathematisch weitaus umfassender integrieren, als Einstein es getan hat. Du mußt es auf eine Ebene hinunterziehen, wo du damit arbeiten kannst, aber um das zu tun, mußt du der Masse viel größere Aufmerksamkeit schenken. Ich bin mir noch nicht ganz sicher, und ich werde es auch nicht sein, bis ich die Gleichung gelöst habe, aber ich glaube, daß wir in der Mitte nicht nur eines, sondern in einer unendlichen Zahl von Universen sitzen, die alle denselben Raum einnehmen, aber physikalisch nicht miteinander in Phase sind.«

Winters grunzte. »Ich bin sicher, du weißt, daß das keine neue Idee ist.«

»Das Neue an der Sache ist: Die Universen haben nur aus einem einzigen Grund keinerlei Verbindung miteinander, wirklich nur aus diesem einen Grund – der Zeit. Mit anderen Worten, sie befinden sich in anderen Entwicklungsstadien, weil die Gegenwart des einen Universums sich den Bruchteil einer Sekunde vor oder hinter der Gegenwart des unmittelbar anstoßenden Universums befindet – nein, ‚anstoßend' ist das falsche Wort. Aber es gibt kein passenderes. Meiner Theorie zufolge findet Zeit statt, wenn Materieschwingungen sich über die Universen hinweg verschieben. Wenn meine Theorie stimmt, dann müßte es uns möglich sein, in dem, was wir immer Zeit genannt haben, zu reisen, indem wir uns körperlich den Materieschwingungen entlang bewegen.«

»Das räumt aber nicht meine Bedenken aus, daß die Geschichte durcheinandergebracht wird«, wandte Winters ein.

»Doch, Eric. Im Augenblick sind alle Universen unter Umständen gleichmäßig fortlaufend. Zeitreisen sind bisher noch nicht möglich gewesen, und vielleicht werden sie das auch nie sein. Wenn sie es aber sind, dann können Paradoxa, wie du sie aufgeworfen hast, in unbegrenzter Anzahl stattfinden, ohne eine einmal gegebene Realität zu zerstören; einfach durch Abzweigung, indem neue Universen vom Augenblick des sogenannten Paradoxons ihren Ausgang nehmen und selbstädig weiterexistieren. In diesem Sinne gibt es dann keine Widersinnigkeiten: Kennedy hätte zwar ermordet werden können, aber nicht in unserem Universum. Eine Zeitmaschine würde die Wirklichkeit nicht ändern – sondern uns den Zugang zu mehreren Wirklichkeiten schaffen.«

»Dessen kannst du dir doch nicht sicher sein.«

Ermüdet von Winters' verbissener Ablehnung sackte Essian zurück und schloß die Augen.

»Ich bin ein lausiger Gastgeber«, sagte Winters. »Du kommst hier hungrig und erschöpft an, und ich erörtere philosophische Probleme mit dir. Du siehst abgespannt aus; warum bleibst du nicht über Nacht?«

Essian schüttelte den Kopf. »Bis zu meiner Wohnung sind es nur zehn Minuten.«

»Ich finde, du solltest jetzt nicht alleine sein.« Winters legte die Pfeife in einen Aschenbecher und stand auf. »Komm schon, du kannst mein Bett nehmen.«

»Nein, wirklich nicht.«

»Schön, dann eben das Gästebett in der Bibliothek.« Winters faßte mit einer Hand unter seinen Arm und zog ihn sanft aus dem Sessel hoch. Essian ließ es zu, daß er in einen Raum über dem Kaminzimmer geführt wurde, wo es, wegen der zwei wandhohen Regale mit Kassetten, recht eng war. Winters zog das Bett aus der Wand, und Essian ließ sich darauffallen; lag ganz still, während ihm Winters die Schuhe auszog. Der massige Mann schaltete das Licht aus, aber Essian konnte fühlen, daß er sich noch immer im Zimmer befand; er riskierte einen kurzen Blick, nur um herauszufinden, daß der andere unschlüssig in der Türe stand. Winters kam zurück und setzte sich neben ihn auf das Bett, legte eine Hand auf seinen Arm. Mit erhöhter Sensibilität, fast so, als ob er es geahnt hätte, fühlte Essian, wie sich sein Bewußtsein veränderte. Die Müdigkeit war verflogen, und er war nichts weiter als gespannte Aufmerksamkeit: die Luft in seinen Lungen schmerzte ihn, und in den Schläfen klopfte das Blut; der Magen zog sich zusammen, was er aber fast als angenehm empfand; er biß die Zähne zusammen, als er sich gegen das, was kommen mußte, auflehnte. Winters Hand schien sich in seinen Arm brennen zu wollen, und Essian drückte seine Hände gegen die Laken, als er einen schwindelerregenden Moment lang glaubte, im Bett zu versinken.

Der Mann beugte sich über ihn. »Paul, wir haben nie darüber gesprochen, aber wenn du mich jemals brauchen solltest, wenn du es möchtest – ich bin da.« Winters streichelte seinen Arm, und Essian empfand es wie einen elektrischen Schlag, so als ob er den anderen Mann ganz spüren könnte – den Duft nach Eau de Cologne, der sich mit Schweiß und Tabak mischte, die harten Muskeln und die großen sanften Hände. »Du brauchst keine Angst zu haben«, sagte Winters.

Aber Essian fürchtete sich doch; er fürchtete sich so sehr, daß er es nicht über sich bringen konnte, das Angebot zu akzeptieren, obwohl sein Herz schneller schlug, obwohl er die Erektion kommen spürte, und obwohl er das intensive Bedürfnis hatte, zu lieben und geliebt zu werden. Er brauchte *nur die Hand zu heben, und Winters würde sie ergreifen, und alles andere würde von selbst kommen*. Aber er hob sie nicht, und Winters verließ schweigend das Zimmer. Essian hatte wieder versagt.

IV

Essian saß im »Styx« und inhalierte in tiefen Zügen den mit Minze und Kelaminen versetzten Dampf ein, der keine psychotrope Wirkung hatte, während er über Eric Winters nachdachte. Es war jetzt eine Woche her, daß er die Nacht im Hause seines Freundes verbracht hatte; eine Woche, in der es Essian nicht einmal möglich gewesen war, an der Gleichung zu arbeiten. Winters Bemühungen, ihn vor der wachsenden Unzufriedenheit seiner Mitarbeiter zu schützen, hatten Essian nur in seinem ablehnenden Verhalten bestärkt. Er wußte, daß er mit Winters würde reden müssen, aber noch nicht jetzt; nicht solange er noch diese Spannung zwischen ihnen fühlte. Keiner von den beiden hatte Winters Versuch der sexuellen Annäherung zur Sprache gebracht, und Essian hätte gerne gewußt, ob der massige Mann inzwischen der Überzeugung war, daß sein Freund einfach schon eingeschlafen gewesen sei. Die Frage, von der Essian wußte, daß er ihr schon seit Tagen auszuweichen versuchte, war, ob er wollte, daß Winters das glauben sollte. *Lehnte er Winters nun eigentlich sexuell ab oder nicht?* Die Frage, die er vor einem Monat noch nicht einmal zu denken gewagt hätte, kreiste jetzt ununterbrochen in seinem Gehirn, bis sie so leer wie eine Mantra-Formel war. Essian merkte, daß er den Inhalierapparat fast schmerzhaft fest gegen Mund und Nase preßte. Der Synthesizer in der hinteren Ecke der Bar begann ein Stück zu hämmern, das vor roher Sinnlichkeit nur so strotzte. Das Lärmen an der Musik verwirrte ihn. Warum nur schien ihm von überall her die Sexualität in irgendeiner Form entgegenzublicken, warum drang sie in seine Träume ein, und warum wurde sie ihm von seelenlosen Maschinen in den Kopf gehämmert? Er legte die Maske, durch die er die Droge eingeatmet hatte, mit der offenen Seite nach unten auf die Theke und wollte gerade aufstehen, als die schwarzhaarige Frau hereinkam und auf den Hocker neben ihm schlüpfte.

Essians Körper verharrte in einer absurden Stellung auf seinem Stuhl, denn er hatte sich bereits halb erhoben, und sein Gehirn, das innerhalb weniger Minuten Gleichungen mit sechs Unbekannten lösen konnte, war von der einfachen Entscheidung, ob er nun gehen oder bleiben sollte, völlig überfordert. Schließlich setzte er sich wieder, aber er traute sich nicht, sich umzuschauen, aus Furcht, daß die anderen Gäste ihn belustigt anstarren würden. Seine Magennerven krampften sich zusammen, so als ob man ihn ohne Vorwarnung an einem einsamen Gestade abgesetzt hätte. Die Erinnerung an Winters, der sich im Schlafzimmer über ihn beugte, überlagerte plötzlich seine Wahrnehmung der Frau, und er beugte sich über den Tresen aus Onyx, während er dagegen ankämpfte und bemühte sich, die beiden Bilder zu entwirren. Die Vorstellung von Winters verblaßte. Aus Angst, die Frau womöglich zu verärgern, versuchte Essian sich ein Bild von ihr zu machen, ohne sie direkt anzuschauen: der Ton ihrer Haut war warm, und in dem schwarzen Haar, das schon fast bläulich schimmerte, glänzten silbern Reflexe; er nahm den zarten Duft ihres Parfüms war. Er hatte das Gefühl, das etwas geschah, was ihm bereits vertraut war, so als ob es bereits einmal geschehen war. Bruchstückhafte Erinnerungen an einen Traum, den er schon vergessen hatte, verwirrten ihn wie ein Nebel, der ihm die Sicht nahm. In dem Traum hatte sich ihm die Frau mit ausgestreckten Händen genähert, nur um dann durch ihn hindurchzugehen, ohne ihn auch nur zu berühren.

Der Traum ängstigte ihn, rief gemischte Gefühle in ihm hervor. Seit Wochen war er jeden Abend wieder ins »Styx« gekommen, immer in der Hoffnung, der Frau hier noch einmal zu begegnen. Fünfmal war es ihm bisher gelungen. Jeder Blick von ihr hatte ihm mehr bedeutet, so als ob er sie bereits kennen würde, als ob ein einziger Blick in ihr Gesicht tausend gemeinsame Erinnerungen wachriefe. Es war wie ein Spiegelbild ihrer und seiner selbst; sie lagen einander in den Armen, lachten, drohten hinzufallen; hinter ihnen brandeten die Wellen an den Strand, und sie erinnerten sich daran, wie sie das Wochenende genossen hatten, erinnerten sich an vertraute, sehr irdische Einzelheiten: der heiße Schauer des Orgasmus, der Sand in ihren Schuhen. Aber in Wirklichkeit war er niemals irgendwo mit dieser Frau gewesen. Er kannte sie noch nicht einmal. Er hatte nie auch nur ein Wort mit ihr gewechselt. Es waren nichts als romantische Phantasien, noch dazu gegen seine bessere Einsicht, gegen seine eigene Natur. Er erinnerte sich nur selten an seine Träume, und seine Phantasievorstellungen waren auch immer nur vage und mißgeformt gewesen. Wie konnte die bloße Anwesenheit dieser Frau nur solche Halluzinationen in ihm wachrufen? Er war ein logischer Mensch, und er hätte sich von Anfang an dagegen wehren sollen. Es hätte ihm – psychologisch gesehen – nicht passieren dürfen. Aber sein logisches Gleichgewicht war in Unordnung geraten. Er erinnerte sich an diese Tatsache fast dankbar und benutzte sie als eine Ausflucht für seine Verwirrung über diese Frau. Er mußte die unüberwindbare Anziehung einfach als einen Teil dessen betrachten, was mit ihm vorging. Das war vielleicht sowieso das einzig Gute daran.

Aus den Augenwinkeln registrierte Essian, daß die Frau irgend etwas aus ihrer Handtasche holte – einen Taschenrechner. Sie fing an, Berechnungen anzustellen, und er verrenkte sich den Hals, um einen Blick darauf zu werfen. Sie schaute zu ihm hinüber, und er war sich darüber im klaren, daß er etwas sagen mußte.

»Komponentengleichungen?«

Sie lachte verunsichert. »Ich weiß, hier ist kaum der Ort für so etwas, aber für mich ist heute Stichtag. Wenn ich das Problem nicht bis heute abend gelöst habe, bedeutet das, daß ich meinen Urlaub verschieben muß.«

Der Barkeeper kam und schaute die beiden bedeutungsvoll an. »Was soll's denn heute abend sein?«

Die Frau schaute auf Essians Inhaliergerät, das sich durch den Dampf, der aus ihm herausquoll, inzwischen tiefrosa gefärbt hatte. »Es ist gut«, erzählte er ihr bereitwillig. »Nur leichte Anregungsmittel; keinerlei putschende Katalysatoren.«

»Okay.«

»Einmal Minze mit Kelaminen«, sagte der Barkeeper. »Auf die Rechnung vom Doktor.«

Sie schaute ihn fragend an, und er verzog das Gesicht, fühlte sich aber nichtsdestotrotz geschmeichelt. »Ich heiße Paul Essian«, sagte er.

»Jill Selby.« Ihre Hand paßte in seine und erwiderte sanft aber kräftig den Druck seiner Finger. »Was für ein Doktor?«

»Theoretische Mathematik.«

Sie lachte, als ob sie sich ertappt fühlte. »Ich nehme an, Sie arbeiten für Meridian?«

»In Abteilung A«, gab Essian verwirrt zurück.

»Ich arbeite in Abteilung E. Theoretische Mathematik.«

Essian schüttelte den Kopf. »Das einzige, was wir jetzt noch brauchen, ist ein Statistiker, der uns die Wahrscheinlichkeit der ganzen Sache ausrechnet.« Der Barkeeper brachte Jills Maske. Als er gegangen war, sprachen sie nur noch wenig zwischen den einzelnen Zügen des milden Euphorikums. Als sie sich über das Projekt unterhielten, an dem sie gerade arbeitete, wurde sie bald lebhafter, und ihm war es zum erstenmal möglich, sie für längere Zeit ungestört zu beobachten, während sie den größten Teil der Unterhaltung bestritt. Heute abend trug sie ihre Arbeitskleidung, einen glatten pflaumenblauen Jumpsuit, der mit Silber abgesetzt war und am Halse offenstand. Silberglanz schimmerte auf ihren Wangenknochen, und die Augen waren mit einem weichen schwarzen Stift umrandet worden, dessen Linie sich an den äußeren Augenwinkeln ein wenig nach oben zog, was ihn an die alten Ägypter erinnerte. Eine Strähne ihres Haares hatte sich selbständig gemacht und fiel ihr über ein Auge, sie strich sie zurück und ließ dabei ihre Hand betont einen Moment dort verweilen; er mußte überrascht feststellen, daß sie sehr wohl gemerkt hatte, wie er sie beobachtete. Sie machte eine erwartungsvolle Pause, und Essian merkte auf einmal, daß sie eine Frage gestellt hatte.

»Wie bitte?«

»Ich fragte, ob sie es gerne einmal versuchen möchten.« Sie reichte ihm ihren Taschenrechner. »Ich habe den ganzen Nachmittag daran gearbeitet, aber ich bekomme es einfach nicht in den Griff.«

Essian nahm den Taschenrechner an sich, starrte darauf und tauchte langsam in die Schwierigkeiten des Problems ein. Der Lärm der Menschen, die Musik, die aus dem Synthesizer dröhnte, ja sogar die Frau neben ihm, alles um ihn herum versank, als er sich einen Weg durch die Vertracktheiten der Rechnung kämpfte, Dutzende von verschiedenen Lösungsmöglichkeiten aufstellte und wieder verwarf. Als er die Antwort endlich gefunden hatte, schnellte er den Raum mit einer Heftigkeit in seine Aufmerksamkeit zurück, die ihn erstaunte. Die Frau nahm den Rechner an sich, schaute ihm dabei aber nur ins Gesicht.

»Sie waren wirklich nicht mehr von dieser Welt.« Essian wußte, daß sie recht hatte. Seit Monaten hatte er es nicht mehr geschafft, sich so stark zu konzentrieren.

»Das ist die Lösung«, sagte Jill. »Großartig. Ich bin noch nie auf diese Lösungsmöglichkeit gestoßen.«

»Die befindet sich in Esteroffs neuem Handbuch, Seite hundertundzwölf.«

»Seite hundertzwölf? Nicht Seite hundertelf oder hundertdreizehn?«

»Seite hundertzwölf, Zeile siebzehn folgende.«

Sie blickte ihn abschätzend an. »Na, dann ist es ja auch nett zu wissen, daß Sie mich nicht vergessen werden.«

Essian zögerte, einen Augenblick lang verwirrt von dieser unerwarteten Wendung; das Manöver einer geistigen Fechtmeisterin. Sein Herzschlag beschleunigte sich, als ob sie ihn zu berühren versucht hätte. »Mit oder ohne hervorragendem Gedächtnis, kein Mann würde sie vergessen.« Er fragte sich, ob das wohl zu platt gewesen war. *Aber nein, sie schien ihn ermuntern zu wollen.* »Ich habe Sie schon vorher bemerkt«, preßte er hervor. »Schon seit Wochen möchte ich mit Ihnen reden.«

»Dann essen Sie doch mit mir zu Abend, und wir holen die verlorene Zeit nach.«

Er freute sich so darüber, daß er nichts mehr zu sagen wußte. Augenblicklich stand er auf und deutete auf die Tür. Nach einigen Diskussionen in der Halle vor dem »Styx« nahmen sie endlich den Expreß, der sie zum West Reef hinaufführte, einem Restaurant, das im äußersten Ring des 190sten Stockwerks gelegen war und für sein erstklassiges Fleisch bekannt war. Das Restaurant hatte die exklusive Lizenz, das Fleisch des Preisstiers vom Vorjahr zu klonen. Als Gemüse zum Steak bestellten sie Rosenkohlbroccoli, eine hybride Gemüsezüchtung, die aus den lunaren Kuppelplantagen stammte.

Obwohl er die Spannung in seinen Eingeweiden spürte, brachte es Essian fertig, mit gutem Appetit zu essen und sich ungezwungen mit Jill zu unterhalten. Die seltsame Mischung von Spannung und Wohlgefühl brachte ihn etwas aus dem Gleichgewicht und ließ ihn nach Atem ringen; noch nie im Leben hatte er bei der Verabredung mit einem Mädchen Angst gehabt.

Im College hatte er den Ruf genossen, Frauen gegenüber eine höfliche Reserviertheit an den Tag zu legen. Im Gegensatz zu den meisten Männern pflegte er Frauen immer von sich selber erzählen zu lassen, und er hatte sie niemals gedrängt; das gab ihm einen Reiz, einen geheimnisvollen Hauch und eine ritterliche Zurückhaltung, die eine ganze Reihe von Frauen erfreulich herausfordernd fanden. Mit einigen hatte er auch geschlafen und ihr Interesse genossen, obwohl die sexuelle Beziehung dann später in seiner Erinnerung immer zu verblassen pflegte. Seitdem er vom College fort war, hatte er nur wenige Verabredungen getroffen. Aber die Nervosität, die er an den Tag legte, als er mit Jill Selby zusammen am Tisch saß, resultierte nicht aus den mangelnden Gelegenheiten der letzten Zeit. Die kam durch die Atmosphäre, die sie vermittelte. Es schien, daß sich sein wacher Verstand, durch den seine Gefühle sonst gefiltert wurden, aufgelöst und sie ihn einfach überwältigt hatte. Er konnte seine alte Unbefangenheit nicht wiederfinden. Das Gefühl, daß dies hier *wichtig* war, beherrschte ihn völlig.

Sie beendeten ihre Mahlzeit, und er beobachtete den Ober, der sich ihnen zwischen den weit verstreut stehenden Tischen näherte, die unter dem Licht der Lampen, Leuchtbälle von Jupiter, in den Farben des Nordlichts schillerten wie Eisberge im Meer. Der Mann setzte ihnen mit einer kleinen Verbeugung zwei Brandy vor und entfernte sich dann entlang der gebogenen Glaswand. Essian starrte einen Augenblick lang gedankenverloren auf den intensiv purpurroten Himmel hinter den Fenstern, drehte sich dann zu Jill um und mußte feststellen, daß sie ihn über den Rand ihres Glases hinweg beobachtete.

»Paul Essian«, sagte sie. »Jetzt erinnere ich mich. Vor vier oder fünf Jahren waren Sie der Hochschulabgänger, der für eine ganze Million angeworben wurde. Kal Tech*, oder?«

Essian nickte.

»Und wie sieht's jetzt aus?«

»Ich denke immer noch darüber nach, wie ich die Million am besten unter die Leute bringen könnte.«

»Sie scheinen in der Kunst des Geldausgebens nicht sehr bewandert zu sein.«

Essian verzog das Gesicht. Das Essen lag ihm warm im Magen, und die drei Gläser Weißwein, die er auf die Minze mit Kelaminen getrunken hatte, verbreiteten eine wohltuende Wärme bis in die Fingerspitzen. Er fühlte sich wirklich gut. Er konnte sich sogar vorstellen, daß das Gefühl, auch unter der

---

* Technische Universität von Kalifornien, A. d. Ü.

Last der Selbstbetrachtung, Bestand haben könnte.

»Es ist bloß leider so, daß ich für die Sache, die mir am meisten Spaß macht, auch noch bezahlt werde«, sagte er. »Das ist kein Sportsgeist. Unsere Gesellschaft kann den Gedanken, daß einer für seine Speilereien auch bezahlt werden könnte, einfach nicht ertragen, und da nennen sie die ganze Sache dann halt einfach Arbeit. Aber für mich war es immer nur ein Spiel.« *Jedenfalls bis vor kurzem; nein, hör auf damit!* »Und so bleibt mir gar nichts, wobei ich mein Geld verschleudern könnte. Mein Bankkonto läuft mir davon, füttert sich selbst mit den Zinsen und wird dabei immer fetter.« Essian fand, daß er sich albern benahm, und daß sie glauben könnte, er wolle angeben. Halbherzig beschloß er sich zusammenzureißen.

»Und doch wollten Sie eine Million, bevor Sie den Vertrag unterzeichneten?«

Essian lachte. »Ich habe das erste Angebot von Meridian akzeptiert. Sie haben unter dem Tisch einen erbitterten Angebotskrieg mit Ameritec und Transglobal geführt, bevor sie mir die Million boten. Ich habe sofort angenommen, und eine Viertelstunde später erhielt ich einen Anruf von Ameritec.«

Jill sah überrascht aus. »Ameritec hat versucht, Meridian durch Überbieten auszustechen, nachdem der Vertrag bereits geschlossen war?«

Essian nickte, war aber über ihre offensichtliche Naivität erstaunt. »So verhalten die sich aber alle hinter der offiziellen Fassade.«

Jill tippte mit einem ihrer silber-lackierten Nägel an den Rand ihres Glases. Eine kleine Falte bildete sich zwischen ihren Augenbrauen.

»Sie mißbilligen das?« stellte Essian fest.

»Sie nicht?«

»Ich versuche die Dinge so zu nehmen, wie sie sind. Es gibt da natürlich eine Reihe von Problemen im Konzern-System der Welt, aber es gibt auch deutliche Vorteile gegenüber den alten Gesellschaftsordnungen. Armut ist natürlich immer eine relative Sache, aber verglichen mit den Armen früherer Jahrhunderte leben die Armen von Meridian Alpha in einer wahren Puppenhausidylle. Es gibt für jeden Arbeit und Nahrung.«

»Und was ist mit den geistigen Werten? Ist nicht die Tatsache, jeden Tag etwas zu beißen und einen Acht-Stunden-Job zu haben, etwas mager?«

»Nur wenn man sie bereits hat«, sagte Essian. »Das sind zwar Bedürfnisse, die man als selbstverständlich erachtet, aber sie sind lebensnotwendig. Man kann sich um keine anderen Bedürfnisse kümmern, bis diese elementaren nicht erfüllt sind, und diese Gesellschaftsform erfüllt sie besser als irgendeine vor ihr. Insofern erlaubt sie uns mehr Freiheit; gibt uns mehr Freiraum.«

»Mehr Freiraum«, stimmte sie zu. »Freiraum genug, um sich zu verlieren.«

Essian sah sie an, aber sie drehte sich um und schaute aus dem Fenster. Der Himmel glühte in tiefem Indigo und sattem Violett; ein Vorhang, der nur mit den winzigen Nadelköpfen der Sterne am Firmament befestigt war. Der erhöhte Teil des Bodens, in der Mitte des Restaurants, wurde auf einmal durchsichtig und von unterirdischen Scheinwerfern angestrahlt; einige Paare sammelten sich in einem langsamen Tanz über einem tropischen Aquarium. Von den Bewegungen der Tausenden angezogen, begannen sich die Fische in Trauben unter den Füßen zu versammeln, so wie man es ihnen beigebracht hatte; immer wenn sich ein paar Füße von der Tanzfläche entfernten, schossen sie an die mit Korallen bewachsenen Seitenwände des Beckens. Eine Augenblick lang fürchtete Essian, daß Jill mit ihm tanzen wollte, eine Sache, die er als einziger auf der ganzen Welt nicht zu können schien, aber sie saß ihm nur mit weit geöffneten, dunklen Augen im flackernen Licht der runden Lampen gegenüber. Er starrte so lange zurück, bis sie die angenehme Spannung dieses Blickduells brach.

»Sind Sie in Meridian geboren?«

»Nein, auf der anderen Seite des Globus. London.«

»Ganz schön weit weg.«

Essian dachte an seine Mutter und Ilene, und während er die sich langsam drehenden Paare beobachtete, erinnerte er sich an ein Bild der beiden Frauen, wie sie dicht aneinandergepreßt in der kleinen Wohnung im fünften Stock, die sie zu dritt teilten, miteinander tanzten. »Das stimmt. Sehr weit weg. Manchmal sogar weit genug.«

»Sie haben versucht, ein paar Dinge hinter sich zu lassen«, sagte sie.

Essian zuckte mit den Schultern und fühlte sich mit einem Mal unbehaglich, dabei wußte er, daß er die Bemerkung geradezu herausgefordert hatte, aber er wollte die Wärme und Unbefangenheit des Augenblicks nicht zerstören. Sie drängte ihn nicht. Sie unterhielten sich noch eine Stunde lang, während der Rest der Gäste sich auf die Tanzfläche begab, um das Spektakulum der hüpfenden Lebensformen unter einem anderen Leben zu beobachten; zwei völlig verschiedene Spezies von Leben vereinigten sich hier in einem kunstvollen Ritual ihrer Neigungen und Gelüste.

Später gingen sie dann zusammen zu Jills Wohnung im 130sten Stockwerk, zwei unter Essians und sechzehn Runden weiter innen. Einen Moment lang standen sie nur da und schauten sich an, und dieser Blick trug all die versteckten Hinweise – die Einladungen, Versicherungen, Bedürfnisse, die es ganz natürlich erscheinen ließen, daß sie sich küßten. Obwohl sie ihre Lippen züchtig zusammengepreßt hielt, erregte ihn ihre sanfte Süße, und obwohl sie spürte, wie er sich versteifte, rückte sie doch nicht gleich von ihm ab.

Als sich die Tür ihres Apartments geschlossen hatte, stand er im Korridor und lächelte die Wand an, wollte nicht gehen; wollte das Gefühl ihrer Lippen auf den seinen nicht verlieren, wollte ihren Duft weiter riechen und wollte nicht fühlen, daß die warme Stelle seines Gesichtes, wo ihre Hand gelegen hatte, kühl wurde. Mit festem, entschlossenem Schritt ging er zu seiner Wohnung. Er hatte richtig Lust zu arbeiten! Eigentlich hätte er müde sein sollen, abgespannt; aber sein Verstand war hellwach. Er durfte die Gelegenheit einfach nicht verstreichen lassen. Sobald er die Wohnung erreicht hatte, ging er an den Safe, wo er die ersten Basisberechnungen der Janus-Gleichung verwahrte. *Er würde bis zur Morgendämmerung arbeiten. Er würde sich seinen Weg durch die geistigen Blockierungen erkämpfen. Morgen würde sein Stab mehr Arbeit bekommen, als er bewältigen konnte. Er würde jeden einzelnen von ihnen anschauen, und sie würden zuerst wegsehen ...*

Die Safetür öffnete sich auf seinen Handabdruck hin, er starrte ungläubig auf das oberste Fach und tastete es immer wieder hilflos ab, obwohl die Janus-Papiere zweifellos verschwunden waren.

V.

Lep Roshoff, der Beauftragte des Polizei- und Sicherheitsbüros von Meridian Alpha, kroch mit seinem fetten. unförmigen Körper fast in den Safe hinein, als wolle er Essians Behauptung, daß die Janus-Papiere fehlten, anzweifeln. Essian sah aufmerksam zu, während der andere Mann den Safe mit seinem knotigen Händen, in denen die Arthritis saß, untersuchte. Er wußte genau, daß Roshoff Ärger machen würde. Er hätte der Sache allein nachgehen sollen. *Allein nachgehen? Wenn du es kaum schaffst zu arbeiten; kaum noch den Schein wahrst, der sowieso niemanden mehr täuscht?*

Dieser Diebstahl kam wirklich ungelegen. Er war ein Mann, der sich hart an der Grenze zum Nervenzusammenbruch befand, der unmotiviert um sich schlug, und den sie jetzt unter Druck zu setzen suchten, sie wollten . . . irgend jemand war hinter ihm her. *Irgend jemand bestimmtes.* Er fürchtete sich vor dem, *was* er nicht wußte, und jetzt auch vor Roshoff hatte er das Gefühl, als ob der Raum um ihn immer größer würde, als ob er immer kleiner und kleiner wurde vor Furcht. Es mußte doch etwas geben, an das er sich halten konnte, an das er sich klammern konnte, das seinen Zusammenbruch verhinderte.

Er hatte sich so wohl gefühlt und jetzt . . . Er hatte sich gut gefühlt. Wirklich gut. Jill Selbys Gesicht tauchte vor seinem inneren Auge auf, eng verbunden mit dem Gefühl des Wohlbehagens; bedingt durch die unvernünftige Macht der Gefühle. *Er würde gehen, noch diese Minute, würde einfach zu ihr gehen. Er würde sich in Richtung der Tür begeben und Roshoff verlassen* . . . Essian machte tatsächlich einen Schritt, bevor er die Unmöglichkeit des Vorhabens einsah. Dann eben morgen. Er würde sie morgen sehen können. Wenn er einfach nur mit ihr zusammen sein konnte, dann würde ihm das schon helfen, dessen war er sich ganz sicher. Sogar der bloße Gedanke an sie dämpfte seine Angst, ließ ihn ein wenig Distanz zu der ganzen Sache gewinnen, so als ob das bloße Auftauchen ihres Gesichtes in seinen Kopf ein Talisman wäre. Er zwang sich, an die fehlenden Papiere zu denken und in ihrem Verschwinden einen vernünftigen Sinn zu sehen. Vielleicht hatte er sie ja einfach nur verlegt. Unter Umständen tauchten sie in einer Schublade auf oder fanden sich zwischen den Seiten eines seiner zahlreichen Fachbücher wieder. Essian dachte den Gedanken zu Ende, obwohl er sehr gut wußte, daß das nicht möglich war, aber er fühlte sich einfach besser, wenn er versuchte, der Sache nachzugehen.

Roshoff richtete sich auf und sah ihn aus den funkelnden, stahlharten grauen Augen an, von denen böse Zungen behaupteten, er habe sie von seinem vierten Lebensjahr an besessen.

Essian war Roshoff bislang nur einmal begegnet, und damals hatte ihm die Kombination der leblosen Augen, die keine Pupillen zu haben schienen, und des unförmigen übergewichtigen Körpers Unbehagen eingeflößt; jetzt löste sie bei ihm eine Reaktion aus, die schon fast an Ekel grenzte. Als der Mann aber nichts sagte und lediglich in seine Richtung starrte, war es Essian unmöglich, das Schweigen noch länger zu ertragen.

»Ich hätte Sie wegen der Lappalie nicht aus dem Bett holen sollen.«

»Es handelt sich um die Janus-Papiere, nicht wahr?« Roshoff sprach mit leicht vorgeschobenem Kopf. Die Stimme war hoch und schrill.

»Es handelt sich dabei um Aufzeichnungen aus der allerersten Zeit, als mir gerade erst die Idee gekommen war; unbedeutende Gleichungen in einer Art Kurzschrift, die nur mir verständlich ist. Ich hatte es sehr eilig, meine Ideen zu Papier zu bringen, und da meine Notiztafel zu der Zeit gerade nicht funktionierte, habe ich die Sache so schnell wie möglich aufgeschrieben. Für die meisten Leute würden sie keinerlei Sinn ergeben.«

»Und für einen anderen Mathematiker?«

»Ich bezweifle, daß die meisten meiner Mitarbeiter sie begreifen würden.«

»Die meisten. Aber was ist mit einer Person, die denselben Beruf ausübt wie sie und vielleicht fast ebenso intelligent ist?«

Essian gab keine Antwort.

»Ameritec könnte solch einen Mathematiker haben«, sagte Roshoff grübelnd. Der fette Mann drehte sich einmal langsam um die Achse, wobei die stählernen Augen jeden Millimeter dieses Kreises erfaßten. Essian hauste in einem Apartment aus drei Ebenen, dem fünften dieser Art in einer Reihe von fünfzehn übereinander liegenden Wohnungen. Aus einer engen Halle in der Mitte führte eine Treppe an der Längsseite des Apartments in die Höhe, auf der zweiten Etage befanden sich Küche und Eßzimmer und auf der dritten Schlafraum, Bad und Kaminzimmer. Essian war sich zwar nicht ganz sicher, aber Roshoffs Aufmerksamkeit schien hauptsächlich auf die Stapel der langsam vor sich hin gilbenden Texte und Zeitungen gerichtet zu sein, die sich zwischen zwei wohlgefüllten Bücherregalen türmten. Roshoff wollte eben zu den Regalen gehen, als Essians Kater Ace über die Treppe ins Wohnzimmer geschossen kam, vor ihm auf die Füße fiel und dafür einen leichten Klaps auf den Kopf erhielt. Roshoff zuckte und wandte sich zu Essian um.

»Ganz nette Bibliothek.« Er deutete auf die Bücherregale.

»Sie interessieren sich für Bücher?«

»Nein, nicht wirklich. Ein altmodisches und teures Hobby. Hübsche Wohnung.«

»Danke.« Essian hätte den Sicherheitsbeamten am liebsten angebrüllt. *Seine Notizen waren fort, gestohlen, und Roshoff schlenderte so ruhig und gelassen durch sein Apartment, als sei er ein riesiger blinder Karpfen in seinem See.*

»Nun denn, Sie verdienen ja wohl eine Stange Geld bei uns, nicht wahr?«

»Ja. Das wissen Sie doch.«

»Ich weiß auch, daß Sie nicht nur einmal, sondern sogar

zweimal von Hermann Droit, einem Spitzel aus Ameritec, angesprochen worden sind. Möchte wissen, was der glaubt, Ihnen anbieten zu können, das Sie nicht bereits hätten.«

»Nächstesmal schicken Sie am besten jemanden, der von den Lippen lesen kann, dann wissen Sie es.«

Roshoff nickte mehrmals, und Essian begriff, daß er sich den Mann besser nicht zum Feind machte.

»Sagen Sie, Dr. Essian, warum muß sich jemand mit einem eidetischen Gedächtnis eigentlich irgendwelche Notizen machen – ganz besonders, wenn es sich um etwas handelt, was er sich selber ausgedacht hat.«

»Weil mein eidetisches Gedächnis sich auf visuelle Dinge beschränkt«, antwortete Essian. »Wenn ich es nicht aufschreibe, habe ich keine rechte Vorstellung von den Dingen, über die ich nachdenke.«

»Ja, gut, aber warum haben Sie die Notizen aufgehoben?«

»Weil es so einfacher ist.«

»Ich fürchte, ich verstehe Sie nicht.«

Essian konnte gerade noch eine ungeduldige Handbewegung abblocken; versuchte ruhig zu antworten. »Ein eidetisches Gedächtnis ist eigentlich nur ein ganz einfacher Trick und nichts anderes. Es hat nichts mir Ihrer Intelligenz zu tun. Jeder dressierte Papagei oder Affe könnte dasselbe tun. Wenn es daran geht, eine Problem zu lösen, z.B. eine mathematische Gleichung, dann unterscheide ich mich in nichts von den meisten anderen Menschen; es fällt mir leichter, wenn sich meine Hände und Augen auch mit der Aufgabe beschäftigen. Durchschnittsmenschen brauchen ihr Sehvermögen zwar nicht für kleinere Aufgaben, wie z.B. ein Bier zu trinken oder sich die Hände zu waschen, aber es fällt ihnen doch leichter. Mit meinem Gedächtnis ist es genauso.« Essian fiel auf, daß er zuviel erzählte, zu nervös war; besonders, was seine Erklärungen über das Sehvermögen betraf, aber Roshoff nickte bloß.

»Aha.« Der Sicherheitsbeamte wandte sich wieder dem Safe

zu. »Wie glauben Sie, hat die betreffende Person es fertiggebracht, ihn zu öffnen?«

»Keine Ahnung. Die einzige Möglichkeit war an sich mein Handabdruck.«

»Genau.«

Ein scharfer Schmerz schoß Essians Nacken hinauf und setzte sich hinter den Ohren fest. Er starrte Roshoff so lange an, bis er sich wieder zwingen konnte zu sprechen. »Sie sind auf dem falschen Dampfer. Warum um alles in der Welt sollte ich Sie mitten in der Nacht aus dem Bett trommeln und Ihnen erzählen, daß ein paar Papiere fehlen, von deren Existenz Sie nicht einmal wußten?«

»Ich werde nicht dafür bezahlt, daß ich Sie unterschätze, Doktor. Sie könnten genau das tun, was Sie jetzt bereits getan haben, um sich selber vor zukünftigen Anschuldigungen, die Zeitmaschine an einen anderen Konzern verkauft zu haben, zu schützen. Immerhin ist die Tatsache, daß weder Ihr Safe noch Ihre Wohnung Anzeichen eines gewaltsamen Einbruchs aufweisen, unbestritten.«

»Aber gibt es denn keinerlei Möglichkeiten, Wohnungs- und Safetür auch ohne meinen Handabdruck zu öffnen?«

»Ja, aber nur sehr teure und komplizierte«, sagte Roshoff. »Und die sind nur einem kleinen Kreis von Sicherheitsexperten bekannt, so wie mir zum Beispiel! Die Schwierigkeiten und Kosten, sich eine solche Ausrüstung zu besorgen, sind fast unüberwindbar. Wenn die Papiere, von denen Sie sprechen, tatsächlich gestohlen wurden, und davon muß ich ausgehen, dann kann es nur ein konkurrierender Konzern gewesen sein. Was allerdings unvermeidlich zu der Frage führt, wie dieser Konzern von den Notizen gewußt haben kann.«

Essian fühlte, wie seine Selbstbeherrschung allmählich schwand. Es war ein langer, anstrengender Tag gewesen; es hatte Höhen und Tiefen gegeben, und Roshoffs Untersuchungen zerrten an seinen Nerven. Er kletterte zur Sofaecke im Wohnzimmer hinunter, ließ sich in seinen Lieblingssessel fallen und winkte Roshoff zu einem Stuhl heran, der im rechten Winkel zu seinem stand. Der Komissar bewätigte die Stufen mit jenem schwankenden Gang, der von seinem steifen linken Knie herrührte, aber er blieb dann in der Mitte der Sofaecke mit auf dem Rücken verschränkten Händen stehen.

»Ich weiß es nicht«, sagte Essian. »Ich habe keine Ahnung, wie eine konkurrierende Korporation von den Aufzeichnungen Wind bekommen haben soll.«

»Vielleicht durch Ihre Unterhaltung mit Droit.«

»Nein, ganz sicher nicht.«

»Natürlich nicht. Es ist nur so, daß der Spion wirklich außergewöhnlich hartnäckig war, fast so, als ob er gewußt hätte, woran Sie arbeiteten.«

»Wenn ja, dann nicht, weil ich einen Fehler gemacht habe. Es sind mehr als zwanzig Wissenschaftler direkt an dem Projekt beteiligt, ganz zu schweigen von dem Verwaltungspersonal, und wer weiß, wer von Ihren Leuten noch alles über das Janus-Projekt Bescheid wissen mag. Sie haben es doch selbst gesagt. Ich habe hier alles, was mein Herz begehrt. Es gibt nichts, was mir Ameritec oder irgend jemand anders bieten und das mich dazu bringen könnte, meinen Vertrag mit Meridian zu brechen; und ich habe Sie und all die anderen verdammt dick . . .« Essian schnitt sich selbst das Wort ab.

»Ist schon in Ordnung, Doktor. Ich bin natürlich über das Meningigram und das Untersuchungsergebnis informiert. Dr. Golding scheint von Ihrer Loyalität überzeugt zu sein.«

»Und meiner Labilität.«

Roshoff lockerte die verschlungenen Finger und machte eine wegwerfende Handbewegung. »Nichts als das Gefasel von Psychiatern. Ich ziehe es vor, meine eigenen Berechnungen anzustellen. Auf jeden Fall ist eins wohl klar: Von nun an werden Sie Schutz brauchen«

Essian starrte den Mann an. »Schutz?«

»Irgend jemand«, sagte Roshoff, »ist ganz wild darauf, mehr

von Ihnen zu wissen; er ist in Ihre Wohnung eingebrochen und hat Papiere gestohlen, die, vertraglich gesehen, Meridian gehören. Wir haben schon in Betracht gezogen, daß der Verbrecher das Werkzeug eines Konzerns ist: Die Zudringlichkeit von Mr. Droit läßt Ameritec dahinter vermuten. Haben Sie noch mehr Papiere?«

»Nein.«

»Ich schlage vor, auch keine neuen anzufertigen. Benutzen Sie das Schaltbrett in Ihrem Büro. Geben Sie Ihrer persönlichen Datenbank keinerlei Informationen ein. Sprechen Sie mit keinem Mitglied Ihres Stabes außerhalb der Abteilung A über Janus.«

»Großartig«, platzte Essian heraus. »Aber wozu die Überwachung? Ich bin mir nicht sicher, ob ich es mit jemand, der mir auf Schritt und Tritt an den Fersen klebt, aushalten kann.«

»Die haben all Ihre Unterlagen, Doktor. Wenn die Papiere wirklich so ungenau und bruchstückhaft sind, wie Sie behaupten, dann wird das deren Appetit nur noch anregen. Der Konzern, der dahinter steht, wird sich sicher nicht scheuen, den nächsten Schritt zu tun.«

»Den nächsten Schritt?«

Zum ersten Mal lächelte Roshoff, eine hämisch grinsende Fratze mit funkelnden Augen. »Eine Entführung natürlich.«

VI

Als Essian seinen Arbeitsplatz kurz vor dem Mittagessen verließ, hielt sich der Leibwächter ungefähr zehn Meter hinter ihm. Der Wärter hieß John Adamly und war ein untersetzter, stämmiger Mann um die Vierzig. Er hatte die Nacht auf einer schmalen Pritsche in Essians Flur verbracht, einen Lähmer in der Hand, und hatte sich, sobald Essian aufgestanden war, in die Halle vor der Wohnungstär zurückgezogen. Der Mann war in jeder Hinsicht, bis auf eine Ausnahme, genauso unaufdringlich, wie Roshoff es versprochen hatte. Aber diese eine Tatsache war entnervend. Und Essian konnte sie einfach nicht aus seinem Denken verbannen, während er auf das Rollband trat, das zu dem Wohnungssektor führte, wo Jill Selby lebte. Er hatte geglaubt, es sei eine gute Idee, daß der Wächter beständig seinen Abstand beibehielt, daß dies das Eindringen des Fremden in sein Leben verhindern würde. Aber Adamlys Aufmerksamkeit wurde ihm immer unangenehmer, je größer der Abstand zwischen ihnen war. Essian konnte den Mann am äußersten Rand seiner Abwehrbereitschaft fühlen – wie ein unsichtbares Auge hinter einem Teleskop. Er hätte gern gewußt, was Adamly wohl von ihm dachte, daß er seinen Arbeitsplatz bereits um elf Uhr vormittags wieder verließ, nachdem er schon zu spät erschienen war. Der Schlaf einer ganzen Nacht hatte Essian einen gefühlsmäßigen Abstand von der Bedeutung des Diebstahls gewinnen lassen. Er hatte sich selbst bereits fast davon überzeugt, daß es nur geringe Folgen haben würde, daß es nur ein schmutziger Trick der Interkorporation war. Es war sogar möglich, daß Roshoff selbst den Diebstahl angeordnet hatte; als eine Entschuldigung dafür, ihn nicht so sehr beschützen als vielmehr überwachen zu lassen, um herauszufinden, ob Droit sich ihm wohl ein drittes Mal nähern würde, um zu ergründen, weshalb er mit der Janus-Gleichung nicht weiterkam.

»Zum Teufel mit ihnen«, murmelte er, und handelte sich dafür von der Frau, die vor ihm auf dem Rollband stand, einen mißbilligenden Blick ein. Im Wohnbereich 16 verließ er das Band und suchte sich seinen Weg durch zwei dazwischenliegende Korridore zu Jills Apartment. Während er auf die Klingel drückte, spürte er eine Bewegung hinter sich, und als er sich umwandte, sah er Adamly dort stehen. Bevor er noch ein Wort sagen konnte, hatte sich die Tür bereits geöffnet, und Jill stand im Eingang.

»Hi, Jill.« Essian fand seine Stimme zu laut und zu fröhlich. »Das ist John Adamly. John, Jill Selby ...«

Der Leibwächter unterbrach ihn. »Miss Selby, bitte entschuldigen Sie die Störung. Es wird nicht lange dauern, aber würden Sie mir bitte Ihre I.D. zeigen.« Adamly hielt ihr eine gelochte Karte entgegen, die ihn als Sicherheitsbeamten von Meridian auswies.

»Stimmt 'was nicht?«

»Das Exekutivbüro hat den Hinweis auf die mögliche Entführung eines wissenschaftlichen Mitarbeiters erhalten. Vielleicht ist es ja nur blinder Alarm, aber wir können uns keine Nachlässigkeit erlauben. Der Anrufer hat sein Opfer nicht genannt, und so haben wir vorgesorgt und lassen alle unsere Projektleiter für ein paar Tage beschatten. Würden Sie mir jetzt wohl Ihre I.D. zeigen?«

»Ist das nötig?« beschwerte Essian sich.

»Das ist in Ordnung«, sagte Jill. »Mr. Adamly, ich arbeite ebenfalls für Meridian, und zwar mit einer Sicherheitsklarierung erster Klasse. Wenn Sie wollen, können Sie mich gerne abtasten.« Sie hielt ihm ihr Handgelenk entgegen, und der Sicherheitsbeamte nickte erleichtert, da sein Job jetzt zu einer reinen Formalität geworden war. Er zog einen Abtaster aus der Manteltasche und fuhr damit über ihre Handwurzel. Ein verdeckter Scanner schwirrte leise und stellte dann sein Ticken ein, als Zeichen dafür, daß er die verschlüsselten Pigment-Pünktchen, die unter die Hautoberfläche von Jills

Handgelenk eingelassen worden waren, identifiziert hatte. Adamly steckte den Scanner wieder ein.

»Wenn Sie mich bitte entschuldigen wollen.« Er ging in die Wohnung hinein und machte eine schnelle Runde durch Räume und Schränke, wobei er sich die Einzelheiten mit raschen Blicken merkte. Er ging an Jill vorbei in den Flur hinaus und gab Essian mit einem Kopfnicken zu verstehen, daß er jetzt eintreten könne.

»Danke, Miss Selby. Tut mir leid, daß ich Ihnen Unannehmlichkeiten machen mußte.« Adamly ging von der Tür fort, und Essian schaute ihm nach, bis der Mann an einer Biegung stehenblieb, von wo aus er den Flur noch gerade überblicken konnte. Er vermutete, daß der Sicherheitsbeamte in dem Augenblick, in dem sich die Tür geschlossen haben würde, wieder näherrücken würde, daß er unter Umständen sogar mit einem speziellen Gerät an den dicken Kunststoffwänden lauschen würde. »*Zum Teufel mit ihm, man kann sowieso nichts dagegen tun.*«

Essian ließ die Tür ins Schloß fallen und drehte sich zu Jill um. Sie streckte ihm die Hände entgegen, und er griff schüchtern nach ihnen. Heute trug sie das Haar streng aus der Stirn gekämmt, Bluse und Hosen waren modisch weit und betonten ihren schlanken Körper.

»Eine Entführungsdrohung«, sagte sie. »Ich hoffe, sie stellt sich als Ente heraus.«

»Die ganze Sache ist ein Schwindel«, erwiderte Essian. »Eine Art Wehrübung für die Typen vom Sicherheitsdienst.«

Sie drückte leicht seine Hände. »Wie auch immer, ich bin jedenfalls froh, daß du dich zum Mittagessen frei machen konntest.«

»Ich hätte dich angerufen, wenn du mir nicht zuvor gekommen wärst«, gestand er. »Ich wußte, daß du frei hattest, aber ich konnte deine Nummer nicht finden.«

»Die steht auch nicht im Telefonbuch.« Als sie seine Hände losließ, bemerkte Essian, daß seine Finger feucht waren, obwohl er sich nicht daran erinnern konnte, geschwitzt zu haben. Sie winkte ihm zu, ihr in die Küche zu folgen, und er nahm auf einmal den verlockenden Duft von Fleisch und brodelndem Wein wahr. Er beugte sich über den *Autochef* und schnupperte sachverständig. Jill sah ausgesprochen erfreut aus. »Ich hatte noch Kalbfleisch im Kühlschrank, und da ich doch morgen fahre ...«

Essian richtete sich ohne sie anzublicken auf. »Fahren?«

»Ja, ich habe Urlaub. Mein Flugzeug geht morgen früh.«

»Ich glaube, damit hab' ich nicht gerechnet. Ich hätte wissen müssen, daß du sicher nicht deine eigenen vier Wände anstarren würdest. Wohin soll's denn gehen?«

»Nach Südkalifornien. Ich kenne dort jemanden, der eine kleine Pension betreibt.«

Der Summer des *Autochefs* ertönte.

Essian half ihr den Tisch zu decken und bemühte sich, während des Essens seinen Teil zur Unterhaltung beizusteuern. Das Fleisch war hervorragend, aber er hatte Mühe, die Portion aufzuessen. Nachdem sie abgewaschen hatten, führte sie ihn in ihr Wohnzimmer. Der Raum war auf allen Seiten von einem *Trid-Fenster* umgeben, das die weiße Gischt des Ozeans zeigte. Der Wind hatte den Sand am Strand zu schlangenförmigen Rippen angeweht, die einen Busch hohen Grases im Vordergrund bedeckten. Die Geruchszelle im Fensterrahmen vermittelte den Eindruck von Salz in der kühlen, feuchten Luft des Zimmers, und aus frei würfelförmigen elektronischen Boxen drang das leise Rauschen der Brandung und der gelegentliche Schrei der Seemöwen.

»Es ist ein Modell von Transglobal«, sagte Jill. »Sie haben die Flecken an den Rändern entfernt. Seitdem sie es hierher gebracht haben, ist der Chef unserer Optikabteilung dem Selbstmord nahe.«

»Es ist perfekt«, pflichtete ihr Essian bei. Er ging durchs Zimmer, um sich ihre Bücher anzusehen, die auf jeweils fünf Brettern auf jeder Seite des Ersatzfensters standen. Jedes Buch hatte noch seinen ursprünglichen Einband, und sie sahen alle sehr kostbar aus, vielleicht hundert Jahre alt oder noch älter. Es handelte sich nicht um Fachbücher, sondern ausschließlich um Romane und Biographien, und Essian verspürte erneut den Wunsch, der erst seit kurzem in ihm erwacht war, seinen Fachbüchern zu entfliehen und sich der Literatur zu widmen. »Deine Freundin im Westen«, fragte er, »bleibst du bei ihr in der Pension?«

»Er lebt in der Pension.« Jill setzte sich in eine Schaukel gegenüber dem Fenster und deutete auf den Platz neben sich; aber sie blickte nicht in sein unglückliches Gesicht, von dem er wußte, daß es seine Bestürzung widerspiegelte. *Sie besuchte einen anderen Mann – einen anderen Mann.* »Es schaukelt sich besser zu zweit«, sagte sie.

Er setzte sich neben sie, und dort, wo sein Arm den ihren berührte, fühlte er die Spannung.

»Komm schon«, sagte sie, als sie sich vom Boden abstieß; er machte es ihr nach, fühlte sich jedoch dumm und befangen wie ein Schuljunge. Die verschnörkelten Ketten, mit denen die Schaukel an der Decke befestigt war, begannen zu quietschen, und Jill lehnte sich mit einem behaglichen Grinsen zurück. »Du kannst dir nicht vorstellen, wie schwierig es war, die Dinger zum Knarren zu kriegen. Ich mußte Eichenholz für die Verankerung auftreiben und Ketten, die keinen mono-molekularen Schutzüberzug haben . . .«

»Ich will nicht, daß du fährst«, sagte Essian.

»Was?« Sie hörte auf zu schaukeln und sah ihn an.

»Es tut mir leid«, murmelte er und wollte aufstehen, aber sie hielt ihn am Arm fest, und er setzte sich wieder. Der Stuhl knarrte noch ein letztes Mal, und dann war es bis auf das Rauschen des Meeres still im Zimmer.

»Wie soll ich dir das bloß erklären?« Essian versuchte ihren Gesichtsausdruck zu deuten. »Ich glaube, es geht tiefer als gestern. Wie ich dir schon der Bar sagte, habe ich dich seit Wochen ansprechen wollen, schon seitdem ich dich das erste

Mal gesehen hatte. Aber es war mehr als nur das. Du faszinierst mich – so als ob es bereits eine Vorstellung von dir in meinem Gehirn gegeben hätte, die nur darauf wartete, Wirklichkeit zu werden.«

»Paul . . .«

»Ich hab' von dir geträumt, hatte Phantasien. Und dann, nach gestern abend, fühlte ich mich einfach hervorragend. Das erste Mal seit Tagen, ja seit Monaten, fühlte ich mich wieder lebendig; hatte Lust zu arbeiten. Als ich heute morgen meinem Job nachging, habe ich die ganze Zeit an dich gedacht. Ich wußte, daß ich dich wiedersehen mußte, sofort.« Essian verstummte, erstaunt über sich selber. Nie in seinem Leben hatte er die Erfahrung gemacht, sich über seine Gefühle Rechenschaft abzulegen, indem er sie aussprach. Die Sprache sollte eine Folgeerscheinung der Gedanken und Gefühle sein; sie sollte den anderen bestimmte ausgewählte Bewußtseinsinhalte mitteilen. Aber er hatte soeben von sich selbst erfahren, daß er nicht mehr ohne Jill Selby leben wollte; er hatte es ausgesprochen, er hatte es gehört, und es war die Wahrheit. Die Heftigkeit dieses Ausbruchs, die Tatsache, daß es ihm eigentlich ohne seinen Willen über die Lippen gekommen war, ließ ihn erstaunt verstummen. *Was war sie, daß sie das in ihm bewirkte?*

»Ich bin ja nur ein paar Wochen fort«, sagte sie. »Und wir kennen uns doch erst einen Tag.«

Essian fühlte, wie sich eine Welle in seinem Magen überschlug und dann auf dem Strand ausrollte. »Es ist lächerlich, nicht wahr?«

»Nein.« Sie berührte leicht sein Knie; es war nur eine einfache Gebärde, aber er wußte, daß sie bedeutete: *bitte sieh mich an.* »Du sagst, du hast von mir geträumt, hättest Phantasien gehabt. Was waren das für Träume? Was für Phantasien?«

Er sah sie vor sich, wie sie nackt an seinen Füßen kniete, wie seine Hände langsam ihren Körper hinaufstrichen. Er wollte zur Seite blicken, hatte irgendwie das Gefühl, daß sie durch ihn hindurchsehen könnte. »Flüchtige Träume«, sagte er.

»Chaotisch. Vorstellungen von deinem Gesicht, und so. Manchmal waren sie etwas merkwürdig, allerdings immer schön und aufregend.«

Sie hatte sich ihm auf der Schaukel zugewandt. Ihre Lippen glänzten, als ob sie eben mit der Zunge darüber gefahren sei. Die Arme hatte sie ausgebreitet auf der Rückenlehne der Schaukel liegen, ihre Knie berührten ihn und schienen ihr Einverständnis zu signalisieren; vielleicht stellten sie sogar eine Einladung dar. Ohne darüber nachzudenken, streichelte er über ihren Nacken, zog sie zu sich heran. Ihr Mund suchte den seinen mit schnellen, behutsamen Küssen. Sie glitten von der Schaukel auf die Knie, und der Boden unter ihnen wurde weich, antwortete mit Mikrosensoren, wo er ihr Gewicht spürte.

Essians Körper kribbelte unter der Wärme der sich öffnenden Poren, die Hose schien ihm zu eng zu werden, als er ihr Haar weich wie eine Feder über seinen Nacken streifen fühlte; die warme, leicht feuchte Weichheit ihres Rückens, die er unter den Fingern spürte, das sachte Anheben ihrer Schenkel, als sie sich an ihn schmiegte. Plötzlich überfiel ihn die Vorstellung von Eric Winters, der ihn fast eben so berührte hatte, wie sie es jetzt tat, und er rollte sich von ihr fort, blieb auf dem Bauch liegen und grub die Finger mit solcher Kraft in den nachgiebigen Boden, daß er sich fast die Nägel abgebrochen hätte.

Nach und nach wurde er sich ihrer Hände bewußt, die ihm sanft Nacken und Schultern massierten. Er atmete tief durch und versuchte das Hämmern in seinen Schläfen zu besänftigen, während ihm eine hämische innere Stimme vorhielt, daß es mit ihr hätte schön sein können, und daß es ihn auf eine seltsame Art und Weise von seiner selbst auferlegten inneren Qual befreit hätte. Er preßte die Finger fest auf die geschlossenen Augen, bis die sich überlappenden Bilder von Jill Selby und Eric Winters sich in einem schmerzhaften Schauer roter Nadelstiche auflösten. Vorsichtig zog ihm Jill die Hände vom Gesicht.

Er stand auf. »Bitte, es tut mir leid, aber ich glaube, ich gehe jetzt besser.«

»Ich will nicht, daß du gehst.« Ihre Stimme war sehr sanft und ließ ihn verharren. »Genau dasselbe hast du mir vor ein paar Minuten gesagt; jetzt sage ich es zu dir. Ich will nicht, daß du gehst.«

»Ich ... ich muß ...« Das Blut strömte ihm in den Magen, das Atmen wurde ihm schwer, und er glaubte ersticken zu müssen. Jills Gesicht sah ihn vom Boden, von dort, wo sie nicht immer saß, an; ein heller Fleck, der ihn kaum wahrnahm. Er ging zur Tür, sie holte ihn ein, und eine Hand krallte sich im Rücken seines Jumpsuits fest. Die Sinnlosigkeit dieser Geste überraschte ihn so sehr, daß er stehenblieb.

»Kommst du morgen wieder?« fragte sie ihn.

»Dein Urlaub ...«

»Ich könnte ihn verschieben; zumindest um ein, zwei Tage. Ich könnte ... ach, ich weiß es auch nicht. Nur, könntest du morgen wiederkommen? Bitte.«

Die Sekunden verstrichen, er nickte endlich, und sie ließ ihn los; er fühlte, wie sich der Stoff über seiner Haut glättete. Sobald sich die Tür öffnete, flüchtete er; machte sich aus dem Staub, wie ein beschämter Schuljunge.

Als er an Adamly vorübereilte, hob der Mann noch nicht einmal die Augen von seinem Notizbuch, aber als Essian einige Augenblicke später auf dem Rollband stand und über die Schulter zurücksah, befand er sich pflichtgemäß zwanzig Meter hinter ihn. Essian wünschte sich nichts sehnlicher, als daß er den Mann irgendwie verschwinden lassen könnte; daß er sich selbst für eine Weile verlieren könnte; daß er nicht nur Adamly, sondern auch dem Bienenstock Meridian Alpha und den Menschenmassen, die sich um ihn herum auf das Rollband zu drängen schienen, entkommen könnte. Er fühlte, wie sie ihn beobachteten, wie sie seinen inneren Aufruhr noch anheizten, und tief verwirrt wie er war, fühlte er sogar einen Anflug von Furcht. Zurückblickend sah er, daß Adamly verschwunden war; die Vergegenwärtigung dessen, was sich in Jills Wohnung abgespielt hatte, ernüchterte ihn einen Augenblick später. Bevor er noch reagieren konnte, drückte sich ein harter Gegenstand in seinen Rücken, und eine Stimme sagte: »Verhalten Sie sich ganz normal, oder Sie sind ein toter Mann.«

VII.

Im ersten Augenblick geriet Essians Verstand außer Kontrolle: Fast wäre er vom Rollband abgesprungen, herumgewirbelt, hätte auf den Blaster in seinem Rücken eingeschlagen, hätte geschrien und wäre davongelaufen. Statt dessen stand er ganz still, tat gar nichts, der Adrenalinstoß verebbte langsam und ließ ihn momentan geschwächt zurück.

»So ist's fein«, sagte die Stimme hinter ihn. »Tun Sie, was ich Ihnen sage, dann werden wir hervorragend miteinander auskommen. Da vorn ist ein Lastenaufzug, wo ein Mann an der Tür arbeitet. Wenn ich es sage, verlassen Sie das Rollband und steigen in den Fahrstuhl. Verstanden?«

Als Essian zögerte, grub sich augenblicklich der harte Gegenstand in seinen Rücken, und er nickte. Als der unmittelbare Schreck nachließ, fühlte er, wie Erwartung in ihm aufstieg – ja, er war fast gehobener Stimmung. Hier gab es zumindest etwas Greifbares, gegen das er antreten konnte; ein Ziel aus Fleisch und Blut für seine aufgestauten Frustrationen und Ängste; für den Zorn auf sich selber, wenn er an das dachte, was gerade bei Jill geschehen war. Ein zweiter Adrenalinstoß begann ihn aufzuputschen, und er fühlte, wie Arme und Beine vor Anspannung zitterten. Er nutzte seine erhöhte Aufmerksamkeit aus, zwang sich klar zu denken und kühl zu planen.

Als sie sich auf gleicher Höhe mit dem Fahrstuhl befanden, schaute er sich aufmerksam den großen, dürren Mann im grauen Arbeitsanzug an, der sich an einer der Türen zu schaffen machte. »In Ordnung«, sagte die Stimme hinter ihm. Essian verließ das Rollband und betrat den Aufzug. Der Mann im Arbeitsanzug trat mit ihnen zusammen ein und schloß die Türen. Als der Fahrstuhl nach unten schwebte, bekam Essian das wohlbekannte flaue Gefühl im Magen.

Er wußte, daß alles von den Befehlen seiner Häscher abhängen würde. Er hatte keinen Zweifel, daß sie sich streng an ihre Anweisungen hielten – sie hatten Adamly beseitigt und ihn mit der Sicherheit von Berufverbrechern entführt. Er nahm an, daß der Grund für eine Entführung eher der Versuch war, Informationen über das Janus-Projekt zu erhalten, als es zu beseitigen, in dem man ihn umbrachte; also würden sie ihn wahrscheinlich nicht töten. Der Druck, unter den sie ihn zu setzen wagen würden, würde sicherlich begrenzt sein.

Essian warf einen Blick auf die Anzeigentafel über der Tür und stellte fest, daß sie sich auf halbem Weg zum Keller befanden. Der Mann im Arbeitsanzug stand hinter ihm und starrte mit einem so leeren Gesichtsausdruck vor sich hin, als ob sie harmlose Bürger auf dem Weg zur Arbeit seien. Essians Aufmerksamkeit war jetzt voll erwacht, und er suchte nach Anhaltspunkten: Er bemerkte bei dem Mann einen winzigen Wachsfleck in dem einen Ohr und ein paar schwarze Haare, die ihm aus den Nasenlöchern wuchsen. Bisher hatte er es noch nicht geschafft, sich den anderen Mann anzusehen, da dieser es fertiggebracht hatte, sich hinter ihm zu halten, als sie eingestiegen waren, aber der Blaster, wenn es einer war, wurde nicht mehr in seine Rippen gedrückt. Er erinnerte sich an etwas, das er im Karatehandbuch gelesen hatte. *Das falsche Vertrauen, das man meist in Feuerwaffen setzt, verlangsamt die Reaktionen. Diese Tatsache kann der unbewaffneten Person zum Vorteil werden.*

Essian schätzte den Standort des Mannes hinter ihm und prägte sich seine Bewegungen ein. Als der Fahrstuhl langsamer wurde, trat er mit dem rechten Bein in einer Aufwärtsbewegung nach hinten und versuchte einen Schwinger gegen den Schädel des hochgewachsenen Mannes zu führen. Sein Fuß fand die Lücke zwischen den Beinen und zog nach oben, was ein ersticktes Grunzer zur Folge hatte. Der Arm, den er zum Schlag erhoben hatte, stieß krachend mit irgend etwas zusammen, das ihn bis ins Mark erbeben ließ, und rieß ihn und den großen Kerl auseinander. Als der Fahrstuhl anhielt, stieß sich Essian von der Seitenwand ab, in Richtung der sich öffnenden Tür. In seinem Rücken krallten sich Finger fest, aber dann war er draußen. Er hatte lediglich Zeit, um den Blick auf zwei graue Schatten zu erhaschen, bevor sich ein paar Hände in seine Arme gruben und er mit solcher Kraft gezwungen wurde, stehenzubleiben, daß sein Kopf nach vorn schleuderte. Die beiden Männer hielten ihn entschlossen fest, und als er versuchte, um sich zu treten, fühlte er, wie sich etwas um sein Bein legte. Essian gab es auf, wäre zusammengesackt, wenn sie ihn nicht gehalten hätten, und beobachtete mit grimmiger Befriedigung, wie sich der Mann im Anzug am Boden des Fahrstuhl vor Schmerzen krümmte.

Wenigstens hatte er einem von ihnen Schmerzen zugefügt – einem von denen. Der verletzte Mann schaute ihn aus schlitzförmigen, zusammengekniffenen Augen, in denen der Schmerz stand, an und griff nach dem Blaster, der auf dem Boden lag, während sein Mund lautlose Worte formte. Der hagere Mann, der seinem Partner zu Hilfe gekommen war, trat die Waffe beiseite und drehte sich zu Essian um.

»Das hat mir gar nicht gefallen, Mister«, knurrte er. Zu dem Mann, der Essian festhielt, sagte er: »Bring ihn nach unten.«

Er wandte sich wieder dem Mann auf dem Boden zu. Essian stolperte zwischen den anderen beiden dahin, ihre Finger gruben sich in seine Arme, und sie schleppten ihn ohne Rücksicht weiter. Sie blieben vor einer Tür mit der Aufschrift »Ersatzteillager« stehen, und der eine klopfte kurz. Die Tür öffnete sich, und Essian wurde nach drinnen gezerrt.

»Ihr Idioten! Ich hatte ausdrücklich angeordnet, höflich mit Dr. Essian umzugehen.«

In der engen Dunkelheit des Zimmers mußte sich Essian anstrengen, bis er eine sitzende Gestalt wahrnehmen konnte, die nur von hinten durch eine schwache rote Kugellampe beleuchtet wurde. In dem Raum hing ein modriger Geruch; als sich seine Augen an das Dämmerlicht gewöhnt hatten, konnte er einen unordentlichen Haufen Gerümpel und aussortierte Ersatzteile erkennen.

»Er hat zwei unserer Leute angegriffen«, beschwerte sich einer der Männer, die Essian hierher gebracht hatten.

»Bemerkenswert! Ein Mann, 1,78 m groß, ungefähr siebzig Kilo schwer, hat es mit zwei meiner Leibwächter aufgenommen?« Die Stimme klang belustigt. »Laßt ihn los.«

Essian machte sich frei und rieb sich die Arme, trat einen Schritt nach vorne in der Hoffnung, das Gesicht vor ihm, das im Schatten lag, zu erkennen.

»Das ist nah genug.« Die Stimme klang leicht heiser, unter Umständen bedingt durch ein hohes Alter. »Ich möchte nicht, daß sich noch mehr von meinen Leuten an Ihnen vergreifen müssen, also bleiben Sie freundlicherweise da, wo Sie sind. Bevor wir uns weiter unterhalten, nehmen Sie bitte meine Entschuldigung an, sowohl für die ungewöhnlichen Umstände dieses Treffens, als auch für die Ungelegenheiten, die Ihnen meine Männer gemacht haben. Wenn sie ihrer Aufgabe richtig nachgegangen wären . . .«

»Zum Teufel damit«, protestierte Essian, »es gibt keine ‚anständige' Entführung. Sie haben vier Männer angeworben und auf mich angesetzt, einer davon hat mich mit einer tödlichen Waffe bedroht, und jetzt entschuldigen Sie mich, als ob Sir mir ledigleich auf einer Party einen Drink über den Anzug gegossen hätten. Meinen Sie nicht, daß Sie sich zumindest vorstellen sollten?«

»Das wäre im Augenblick nicht sehr klug von mir. Wenn die Sache so läuft, wie ich mir das vorstelle, dann werden wir noch früh genug Partner werden, wenn nicht sogar Freunde.«

»Keine Chance.« Essian kostete seinen beharrlichen Zorn aus. »Wenn Sie sich mit mir treffen wollen, ich halte regelmäßige Sprechstunden ab und treffe auch Terminvereinbarungen.«

»Hätten Sie denn noch einen weiteren Termin mit Mr. Droit, der Sie versucht hat anzuwerben, vereinbart?«

»Sie geben also zu, daß Sie für Ameritec arbeiten?«

»Ich gebe gar nichts zu, und ich streite auch nichts ab. Wir wissen lediglich, daß man schon zweimal mit einem Vorschlag, ähnlich dem unseren, an Sie herangetreten ist, und daß Sie ihn beide Male abgelehnt haben. Sie haben ihn zwar zurückgewiesen, aber zur Zeit schleicht Ihnen einer von Roshoffs Männern hinterher, um Sie zu beschatten. Wen, frage ich mich, wollen die beschützen?«

Essian fühlte, wie er die Kontrolle über sich verlor. Er wollte aufspringen, den anderen am Kragen packen um zu schreien: *Sie vertrauen mir, verdammt noch mal; sie vertrauen mir.* Er schluckte die Worte hinunter, aber die Unsicherheit, das Gefühl, daß er keinen Treffer mehr landen konnte, blieb.

»Was haben Sie mit dem Mann gemacht, der mir gefolgt ist?« fragte er.

»Dem geht's gut. Wir haben ihn für einen Augenblick aus dem Verkehr gezogen. Momentan sucht er nach Ihnen, immer in dem Glauben, daß es seine eigene Dummheit war, daß er Sie aus den Augen verloren hat.«

Essian lehnte sich gegen einen Stapel Gerümpel, und die schemenhafte Gestalt veränderte ihre Stellung; ein Fingerschnippen ertönte. »Einen Stuhl für Dr. Essian. Entschuldigen Sie. Ich hätte daran denken sollen, daß Sie der Zusammenstoß mit meinen Männern etwas mitgenommen hat.«

Einer der Leibwächter schubste einen Stuhl hinüber, der Essian in die Kniekehlen stieß, und er ließ sich dankbar hineinsinken. »Wenn Ihr Angebot mit dem von Droit übereinstimmt, warum versuchen Sie es dann überhaupt noch mal?«

»Es ist nur im Prinzip das Gleiche, Doktor. Droit hat Ihnen lediglich eine popelige Million geboten, wenn Sie sich Ameritec anschließen. Unser Angebot wird großzügiger ausfallen.«

»Damit ich zu Ameritec überlaufe?«

Der Mann im Sessel kicherte. »Lassen Sie uns im Augenblick nur sagen, damit Sie sich einem der vier Mitbewerber anschließen.«

Essian stellte fest, daß der andere nicht gewillt, war, den Namen seines Konzerns preiszugeben. Abgesehen von der Dreistigkeit, die den einfachen Diebstahl schon lange hinter sich gelassen hatte, spielten seine Entführer mit verdeckten Karten. Falls er vorgab, ihr Angebot zu überdenken, würden sie ihn vielleicht freilassen, um so die Vergeltungsmaßnahmen, die sein Verschwinden nach sich zöge, zu umgehen. Wenn sie es täten, würden sie das Risiko eingehen, daß Meridian ein zweites Meningigram von ihm anfertigen ließe, das jeden direkten Hinweis auf ihre Identität aus seinem Gehirn herauslocken würde, ja sogar auf das Versteck. Aber auch für ihn gab es Risiken; allerding verfügte er über einen bestimmten Freiraum, in dem er mit ihnen spielen konnte, er durfte nur keine eindeutigen Zeichen einer möglichen Bereitschaft zur Zusammenarbeit zeigen, die ihn später in Teufels Küche bringen konnten.

»Wohinter sind Sie eigentlich so verzweifelt her?« fragte er.

Der Mann rutschte schon wieder in seinem Sessel hin und her, so wie jemand, der ein Rückenleiden hat und die Stellung sucht, die noch einigermaßen bequem ist. Er seufzte, ob vor Schmerzen oder aus Ärger vermochte Essian nicht zu sagen. »Doktor, wir sind über das Janus-Projekt informiert. Wir wollen es haben, und wir werden hervorragend dafür bezahlen.«

»Janus . . . Janus? War das nicht der römische Gott mit den zwei Gesichtern? Der Hüter der Ein- und Ausgänge?« Essian versuchte sich daran zu erinnern, ob sich in seinen Papieren irgendein Hinweis auf das Wort *Janus* befunden hatte.

»Seien Sie nicht kindisch. Wir besitzen Unterlagen, die keinen Zweifel an der Art Ihrer Arbeit lassen. Wenn sie die Papiere sehen würden, könnten Sie sicherlich ihre Echtheit bestätigen.«

»Wer ist denn jetzt kindisch?«

Der Mann überging Essians Einwand. »Ich bin mir sicher, daß Sie sich über die möglichen Vorteile des Konzerns, der das

das Prinzip der Zeitreise entdeckt, entwickelt und kontrolliert, im klaren sind.«

»Die Zeitreise! Wenn Ihr Gehirnkästchen glaubt, daß ich mich mit diesem Problem beschäftige, dann brauchen Sie mehr frisches Blut, als Sie denken.«

»Dr. Essian, ich sagte, daß wir über das Janus-Projekt informiert sind. Die Papiere, auf die ich mich beziehe, sind quälend ungenau; außerordentlich grob, aber unsere Experten haben uns versichert, daß die Idee vorhanden ist. Meridian hat Millionen in die Forschung und Entwicklung des Projektes gesteckt, und Sie, Dr. Essian, sind der Leiter der ganzen Sache, der geistige Vater der Idee.«

»Sie sind mit diesem phantastischen Drehbuch hierhergekommen, nur weil Sie zufälligerweise auf ein paar Notizen gestoßen sind?«

»Belasten Sie sich nicht mit unseren diversen Quellen. Denken Sie statt dessen lieber über das Angebot nach: fünf Millionen, wenn Sie sich unserem freiberuflichen Mitarbeiterkreis anschließen, sowie bis an Ihr Lebensende fünf Prozent aller Einnahmen, die durch die Zeitmaschine entstehen.«

Essian fühlte sich von einer Hitzewelle überflutet, so als ob sich vor ihm ein Schmelzofen aufgetan hätte. Fünf Millionen? Fünf Prozent? Das hört sich sehr ernst an – zu ernst. Ein Mann wie dieser hier würde niemals verstehen, daß ihm das Geld, die Belohnung nichts bedeuteten. Es war der Zwang, der von Bedeutung war. Der Zusammenbruch seines ganzen künftigen Lebens. *Warum konnten die ihn nicht in Ruhe lassen?* Essian wischte sich über die Stirn, und die Schattengestalt lehnte sich mit einem Anflug von Endgültigkeit zurück. »Wie Sie sehen, haben wir durchaus die Absicht, uns großzügig zu erweisen.«

Essian schüttelte den Kopf. »Selbst wenn wir einmal annehmen, daß es dieses Projekt tatsächlich gibt, dann bleibt das, was Sie von mir verlangen, noch immer ein Vertragsbruch. Wir könnten dafür beide ins Gefängnis kommen.«

»Ich denke, daß wir mit Hilfe der Zeitmaschine eine

Möglichkeit finden sollten, das zu vermeiden.«

Ohne es zu wissen mußte Essian lächeln, während er sich bemühte, die Ernsthaftigkeit, die die Stimme des Mannes an den Tag gelegt hatte, beiseite zu schieben. *Er macht Witze, er muß einfach Witze machen.* Sie hatten einen Narren geschickt, der mit ihm verhandeln sollte, einen Psychopathen, der soeben etwas gesagt hatte, das Essian nur noch darin bestärkte, nicht mit denen gemeinsame Sache zu machen, noch nicht einmal unter Zwang. Essian wußte, daß er seine Ansicht verbergen mußte, wenn er von diesem Treffen ungeschoren davonkommen wollte. Er improvisierte. »Mein Ansehen wäre ruiniert. Kein Konzern würde mir jemals wieder einen Arbeitsvertrag anbieten.«

»Ich glaube, daß Sie sich nicht so ganz über die Folgen unseres Angebots im klaren sind. Sie brauchten sich niemals wieder um eine Anstellung zu bemühen, nicht mit dem fürstlichen Angebot von fünf Prozent. Und wegen Ihres Rufes brauchten Sie sich auch keine Sorgen zu machen. Die Welt würde Sie als den Mann in Erinnerung behalten, der die Grenzen der Zeitbarriere gesprengt hat; daß Sie es für uns und nicht für Meridian getan haben, wäre bald vergessen.«

»Darüber läßt sich streiten«, sagte Essian. »Die Papiere, die Sie aus meinem Safe entwendet haben, befassen sich mit einer rein theoretischen, ziemlich kuriosen Annahme, nicht mehr. Ihre Quellen haben Sie im Stich gelassen; es gibt keine Zeitmaschine.«

Die Worte verloren sich in Schweigen, büßten ihre Wirkung ein und schrumpften zu einem Nichts zusammen; und noch immer saß der Mann da, so wie die Katze, die sich halb abgewandt, mit eingezogenen Krallen und schläfrigen Augen vor dem Mauseloch zusammenkauert, wohl wissend, daß die Maus ihr Loch irgendwann einmal verlassen muß. Essian sah sich um, nahm das Durcheinander der Röhren und Kisten wahr, versuchte Gleichgültigkeit vorzutäuschen, beobachtete eine Spinne, die zwischen den Lamellen einer Holzkiste dicht neben seinem Stuhl umherkrabbelte.

»Sie brauchen Bedenkzeit«, sagte der Mann. »Ich gebe Ihnen vierundzwanzig Stunden Zeit.«

Vierundzwanzig Stunden. Vierundzwanzig Stunden, um ihn mit Jill auszusöhnen. Vierundzwanzig Stunden, um die Gleichung zu beenden, von der er noch immer wußte, aus Gründen, die sich seinem bewußten Denken entzogen, daß er sie beenden mußte. Die Krebsgeschwulst der Enttäuschung explodierte in seinem Hals. »Und wenn ich Ihr Angebot ablehne?«

»Wenn Sie ablehnen? Wie kann es daran einen Zweifel geben, wenn es das Janus-Projekt, worauf Sie ja bestehen, gar nicht gibt?« Auf eine Handbewegung des Mannes hin zerrten irgendwelche Hände Essian aus dem Stuhl hoch und drehten ihn zur Tür. Einer der beiden Leibwachen öffnete sie und ließ einen rechteckigen Lichtflecken ins Zimmer fallen, während der andere Essian davon abhielt, sich dem sitzenden Mann zuzuwenden.

»Sie können gehen, Dr. Essian. Ich bin mir sicher, daß Sie über unsere Begegnung Schweigen bewahren werden. Wir werden Sie wegen Ihrer Antwort aufsuchen. Wenn Sie Ihre Möglichkeiten überprüft haben, Ihre Alternativen, dann bezweifle ich, daß Sie das Angebot ablehnen werden.«

Seine Entführer drängten Essian in die Halle und schlossen hinter ihm die Tür.

VIII

Wie betäubt ließ Essian sich über die Rollbänder treiben, bis endlich der Gedanke in sein Bewußtsein durchdrang, daß er seinen Leibwächter suchen mußte. Er versuchte, das eben Geschehene beiseite zu schieben und statt dessen darüber nachzudenken, was Adamly möglicherweise nach seinem Verschwinden unternommen hatte. Der Aufpasser hatte unter Umständen Roshoff informiert und dabei versucht, seinen Fehler zu verschleiern; jedenfalls konnte Adamly es nicht allzulange hinauszögern, höchstens eine Stunde. Wenn er die Möglichkeit berücksichtigte, daß ihn Essian nicht vorsätzlich abgeschüttelt hatte, dann wäre er vielleicht zuerst zur Abteilung A gegangen und danach zu Essians Wohnung. Er entschied, daß Adamly inzwischen genügend Zeit gehabt haben mußte, um in seinem Büro nachzusehen, und machte sich daher auf den Weg zum Apartment, trottete die Rollbänder entlang und hoffte, daß er Recht behalten würde: daß er nicht zu spät kam. Als seine Wohnungstür hinter einer Biegung des Korridors in Sicht kam, verlangsamte er das Tempo und holte tief Luft. Adamly wartete noch nicht auf ihn.

Essian öffnete die Tür mit seinem Handabdruck und eilte dann zum Sofa. Er starrte über den Fußboden, der sich in Augenhöhe befand, und beobachtete den Schlitz unter der Tür. Selbst als er schon eine ganze Weile dagesessen hatte, floß ihm der Schweiß noch immer so schnell in die Kleidung, wie die kalksaure Faser ihn desodorieren und verdunsten konnte. Essian wußte, daß er sich eigentlich Gedanken darüber machen sollte, was zu tun wäre, wenn Adamly jetzt nicht bald auftauchte, oder wie er dem Ultimatum, das man ihm eben gestellt hatte, entkommen könnte. Statt dessen dachte er an Jill.

Er fühlte keinerlei Scham mehr darüber, daß er sich von ihr abgewandt hatte. Selbst wenn er sich an das noch immer lebendige Bild, wie sie auf den Teppich geglitten waren, wie sie dort zusammen gelegen hatten, wie er sie plötzlich von sich gestoßen hatte, erinnerte, so fühlte er trotzdem nicht den Schmerz, den er eigentlich erwartet hatte. Seine emotionale Spannkraft erstaunte und ermutigte ihn. Es war, als ob er allein Zeuge seiner Scham gewesen wäre, als ob Jill sein Versagen als die natürlichste Sache der Welt verstanden und akzeptiert hätte. Ihr Verlangen nach ihm schien ungebrochen, ja, schien sich sogar noch gesteigert zu haben. Essian erinnerte sich mit einem seltsamen Wohlbehagen daran, wie sie ihn an der Tür festgehalten hatte, wie sich ihre Finger im Rücken seines Jumpsuits festgekrallt hatten. *Kommst du morgen wieder?* hatte sie mit einer Stimme frei von Mitleid gefragt, mit einer Stimme, die nicht nach Erklärungen verlangte. Die Worte hatten nur eine einzige Bedeutung gehabt: *Sie wollte ihn.*

Und er wollte sie. Während er dasaß und auf Adamly wartete, wußte er, daß er sie in diesem Augenblick gewollt hätte, wenn sie dagewesen wäre. Essian lächelte, als er die widersinnigkeit dieses Verlangens angesichts der vielen Dinge sah, die geschehen waren, aber es kümmerte ihn nicht. Jill war wichtiger, und die Gefühle, die sie in ihm geweckt hatte, schienen lebendiger und wirklicher zu sein, als jede Gefahr. Die Tatsache, daß er sogar in diesem Augenblick ein kurzes flüchtiges Glücksgefühl spüren konnte, machte ihm Mut, deutete auf eine Art Vertrauen hin. Irgendwie würde er schon zurechtkommen – mit seinem eigenen Dämon und auch mit Janus; und mit den Männern im Keller. Auch wenn er Angst hatte, selbst wenn er noch mehr Fehlschläge einstecken mußte, es gab einen Weg, um zu überleben.

Aus Furcht davor, daß seine Entschlossenheit ihn verlassen könnte wenn er nicht augenblicklich etwas unternahm, griff Essian zum Telefonhörer, um Roshoff anzurufen, legte ihn aber wieder auf, als die Schatten von zwei Füßen auf der Türschwelle erschienen und die Tür langsam aufschwang.

Adamlys Gesicht, das fast komisch betroffen dreinschaute, als er eintrat, zeigte erst offensichtliche Erleichterung und dann seine übliche Teilnahmslosigkeit, als er Essian entdeckte.

»Es wird als höfliches Benehmen angesehen, wenn man anklopft«, sagte Essian.

»Wo zum Teufel haben Sie gesteckt?«

»Mein Übereinkommen mit Roshoff hat an sich nicht besagt, daß Sie auch mit ihrem Handabdruck meine Tür öffnen können.«

Adamly starrte ihn an, als ob er etwas völlig Unverständliches gesagt hätte. »Dr. Essian, ich muß jetzt wissen, wo Sie während der letzten halben Stunde gesteckt haben.«

»Hier natürlich. Sie meinen, daß Sie mich aus den Augen verloren haben?«

Adamly kam die Stufen herunter zur Sofaecke, wobei er Essian nicht aus den Augen ließ, als ob er nochmals zu verschwinden drohte. Endlich setzte er sich auf die äußerste Kante eines Stuhles und blickte zu Boden, während er eine Zigarette aus seiner Jackentasche holte.

»Es wäre mir lieber, Sie würden nicht rauchen.« *Verwirr ihn noch weiter,* dachte Essian. *Bring ihn dazu, seine eigenen Fehler zu überdenken – damit er sich nicht mit dir befassen kann und womöglich das Beben in deiner Stimme hört, damit er nicht deine Hände zittern sieht.* Adamly schob die Zigarette in die Packung zurück und fing an, nervös seine Hände zu kneten, bis die Knöchel knackten.

»Ich verliere Leute nicht einfach aus den Augen«, sagte er. »Ich bin direkt von Miss Selbys Wohnung aus hierher gegangen«, erwiderte Essian. »Ich dachte, Sie seien die ganze Zeit über genau hinter mir gewesen, aber das scheint offensichtlich ein Irrtum zu sein.«

»Und Sie haben sich keinmal umgedreht, um es nachzuprüfen?«

»Warum sollte ich?«

»Weil Sie es von dem Augenblick an, als ich angefangen habe Sie zu beschatten, alle paar Minuten getan haben.«

»Ich hatte den Entschluß gefaßt, Sie zu ignorieren, in der

Hoffnung, daß Sie dann verschwinden würden. Offenbar hat es gewirkt.«

»Machen Sie keine dummen Witze. Ich hatte Sie im Blickfeld. Dann ist mir diese Gruppe von Besuchern genau dazwischengelaufen. Ich habe Sie nur einen einzigen Moment lang nicht gesehen. Dann bemerkte ich, wie Sie das Rollband wechselten und sich auf den Weg zum Vergnügungscenter machten. Ich blieb hinter Ihnen, bis ich feststellte, daß Sie es gar nicht waren. Es war jemand anderes, der haargenauso angezogen war, dasselbe dunkle Haar – es stimmte alles.« Essian fühlte, wie ein neuer Schweißausbruch von seinen Kleidern aufgesogen wurde. Er hätte Adamly am liebsten beim Arm gepackt und ihn aus der Wohnung geworfen, denn er konnte ihm nicht mehr länger etwas vormachen. Er konnte hier einfach nicht mehr ruhig sitzenbleiben und so tun, als sei nichts geschehen. *Sie wußten, wie er angezogen war; sie hatten einen Doppelgänger; sie konnten ihn jederzeit wieder schnappen, mitten im Herzen seines eigenen Städteturms, vor den Augen seines Leibwächters.*

»Um Himmels willen, wollen Sie nicht endlich . . .« Essian biß sich auf die Zunge und schluckte den Rest hinunter, versuchte sich zu überlegen, wie er es sagen und was er sagen sollte. Adamly starrte ihn an.

»Wollen Sie nicht endlich aus meinem Rücken verschwinden?« fragte er mit einer Stimme, die zu vernünftig, zu geschäftsmäßig für die Frage klang. »Sie haben einen Fehler gemacht, das ist alles.«

»Vielleicht. Aber vielleicht geht hier auch was Merkwürdiges vor sich.«

»Das verstehe ich nicht«, sagte Essian.

»Wären Sie damit einverstanden, über die letzte halbe Stunde ein Meningigram anfertigen zu lassen?«

In Essians Körper prickelte es, als ob sich die Poren geschlossen hätten und den Schweiß daran hinderten, weiter nach außen zu dringen, als ob sich die Hitze nach innen richtete, die

Haut feucht und kalt würde. *Noch ein Meningigram? Nein, das konnte er nicht. Er würde sich wehren, sie konnten ihn nicht zwingen.* Er hatte eine Idee; eine Möglichkeit, den Sicherheitsbeamten davon abzubringen. »Sei'n Sie vernünftig, Adamly. Unterzieht sich schon irgend jemand gerne einer Untersuchung? Würden Sie gerne über die letzte halbe Stunde ausgefragt werden?«

Der Leibwächter sah ihn ärgerlich an. »Eins zu Null für Sie. Ich finde, daß keinerlei Veranlassung besteht, Roshoff von dem Vorfall zu unterrichten.«

»Keinesfalls. Entspannen Sie sich, und vergessen Sie es einfach. Ich war die ganze Zeit hier, und es ist nichts von Bedeutung vorgefallen, also vergessen Sie es. Wenn es Sie glücklich macht, dann denken Sie noch ein Weilchen darüber nach.«

»Das werde ich.«

Essian fühlte sich unendlich erleichtert; eine alberne, schwindelerregende Erleichterung. Irgendwie hatte er es geschafft, ihn zu bluffen. Er schaute auf die Uhr und nahm einen Fleck wahr, den er nie zuvor gesehen hatte. »Zeit, daß ich mich wieder ins Büro begebe«, sagte er.

*

Als Essian seinen Arbeitsplatz erreichte, hatte er einen einfachen Schlachtplan ausgearbeitet und fühlte sich äußerst gelassen. Er würde die Bürotür hinter sich schließen und sorgfältig über alles, was geschehen war, nachdenken. Er würde sich für jede Situation einen Plan zurechtlegen und alle weiteren Sorgen einfach aus seiner Vorstellung verbannen. Wenn er erst einmal die Angst unter Kontrolle hätte, dann würde er vielleicht auch wieder arbeiten können. Seitdem er Jill begegnet war, hatte er den Willen zur Arbeit verspürt, wußte, daß er über die Leistungsfähigkeit verfügte, zu ihr zurückzukehren, und wenn es ihm gelingen würde, diesem Wahnsinn ein Ende zu machen, dann würde er dieses

Leistungspotential auf die Probe stellen können . . .

»Dr. Essian.«

Essian blieb mitten in seinem Vorzimmer stehen, als ob die Stimme des Robo-Sekretärs einen Befehl ausgesprochen hätte. Er tat einen tastenden Schritt.

»Dr. Essian, gut daß Sie da sind. Sie haben eine Sitzung mit dem Planungsstab des Projektes. Sie hat bereits vor einer Minute begonnen.«

Lieber Gott! Der Planungsausschuß. Den hatte er total vergessen. Die würden wie ein Schwarm Piranhas darauf lauern, über ihn herzufallen. Er konnte ihnen nicht entgegentreten; nicht ausgerechnet jetzt.

Er nickte, sagte dann: »Ja, in Ordnung«, denn dieser verdammte Robo-Sekretär verstand sich nur auf den gepflegten Wortschatz eines Universitätsprofessors und nicht auf subtiles Kopfnicken. Er versuchte einen klaren Gedanken zu fassen; erinnerte sich, saß Winters auch auf der Sitzung sein würde. Aber inwieweit konnte er sich auf Eric verlassen? Die wollten heute Paul Essian sehen, und der Chef des Stabes war lediglich eine Art Appetitanreger.

Essian drehte sich um und ging von seinem Büro aus durch die mit dicken Teppichen ausgelegten Flure zum Konferenzraum. Sein Körper verriet das Unbehagen, das er spürte: kurze Schritte und hängende Schultern, als ob er bis zur Unsichtbarkeit schrumpfen wollte, um für die Männer in dem Raum keine Zielscheibe abzugeben. Sie hatten die Tür offen gelassen, und er konnte sie reden hören, als er sich dem Zimmer näherte.

». . . schon fünf Minuten über die Zeit.«

»Meine Herren, ich bitte Sie.« Das war Winters' Stimme. »Dr. Essian ist ein vielbeschäftigter Mann. Es ist gut möglich, daß er an unserer heutigen Besprechung nicht teilnehmen kann.«

Essian hielt kurz vor der Tür inne. Der Konferenzraum gehörte zu einem Zimmerpaar, wovon sich jeweils eines auf jeder Seite eines Sackgassenkorridors befand. Der Gang war leer – es gab niemanden, der ihn lauschend vor der Tür stehen sah.

»Kann nicht an der Besprechung teilnehmen? Wovon reden Sie, Winters? Dieser Ausschuß ist . . .«

»Einen Augenblick, John«, unterbrach ihn eine andere Stimme, die Essian als die des Vorsitzenden erkannte. »Dr. Winters, Sie sagten, er sei beschäftigt. Beschäftigt womit?«

»Selbstverständlich mit der Gleichung.« Winters' Stimme klang ruhig, fast gelassen; ein Beruhigungsmittel für die Kampflust der anderen Ausschußmitglieder.

»Aha, mit der Gleichung ist er also beschäftigt? So ist uns das nicht bekannt.«

»Dann haben sich Ihre Quellen eben geirrt.«

»Ich glaube kaum . . .«

»Meine Herren.« Winters' Tonfall war leicht ironisch. »Dr. Essian beschäftigt sich ja nun nicht mit einem wohlbekannten mathematischen oder physikalischen Problem, sondern er arbeitet an einer Sache von nicht dagewesener Wichtigkeit.«

»Er hat uns einen Zeitplan aufgestellt.«

»In guter Absicht, weil Sie ihn verlangt haben. Ich wußte von vornherein, daß man sich bei diesem Projekt an keinerlei Zeitpläne würde halten können, und ich habe Dr. Essian sogar angewiesen, Sie davon zu überzeugen, aber er ist nun mal ein unverbesserlicher Optimist.«

Essian draußen im Gang mußte grinsen. Trotzdem war er über Winters' Verhalten beunruhigt. Man sollte einem Projektausschuß besser nicht gestehen, daß man eine seiner Forderungen ablehnte.

»Das ist purer Blödsinn, Winters«, schnappte der Vorsitzende ein.

»Es ist die reine Wahrheit.«

Himmel, Eric. Nicht so forsch.

»Wir befassen uns hier mit einem reinen Forschungsprojekt«, fuhr Winters fort. »Ein solches Projekt kann, wie Sie alle wissen sollten, nicht auf Kommando irgendwelche Fortschritte erzielen.«

»Belehren Sie uns nicht über das Wesen der Wissenschaft, Winters.«

»Dann belehren Sie mich aber bitte auch nicht mit solchem Blödsinn.« Winters' Stimme war noch immer ruhig; ruhig, aber auf verhaltene Weise befehlend.

Essian wollte den Raum betreten, um Winters vor dem Sturm, der jetzt losbrechen mußte, zu bewahren, aber seine Füße rührten sich einfach nicht vom Fleck, und er wußte, daß er Angst hatte; er hatte Angst hineinzugehen und sich dem Zorn zu stellen, mit dem Winters so hervorragend fertig wurde.

»Wir werden Ihre Unverschämtheiten nicht weiter dulden, Dr. Winters.« Die Stimme des Vorsitzenden klang verdrießlich; trotz der tadelnden Worte schien sie unsicher zu sein. »Sie werden Dr. Essian mitteilen, daß er hier morgen zur Berichterstattung zu erscheinen hat, denn sonst . . .«

»Entschuldigen Sie bitte«, unterbrach ihn Winters. »Am Ende der Sitzung wird sich herausstellen, daß ich keineswegs unverschämt war. Weiterhin halte ich es für unklug, an Dr. Essian mit irgendwelchen besonderen Forderungen heranzutreten, solange er sich bemüht, den toten Punkt der Janus-Gleichung zu überwinden.«

»Sie glauben . . .«

»Ja. Und als Chef dieses Projektes werde ich es mir auch weiterhin erlauben, nachzudenken und Vorschläge zu unterbreiten, die im Interesse des Projektes und von Meridian sind. Ich kann nicht im Ernst glauben, daß Sie, meine Herren, etwas anderes von mir erwarten.«

»Nein, natürlich nicht. Wir wollten damit nicht sagen . . .« Der Vorsitzende verstummte.

Essian drehte sich um und ging, seine Gedanken ordnend, den Gang hinunter. Er fühlte Erleichterung, ja, aber auch Ärger über die Leichtigkeit, mit der Winters den Planungsausschuß unter Kontrolle gehalten hatte. Es war niemals ganz klar, was alles in diesem Mann steckte. Essian erkannte, daß das, was er immer für Passivität gehalten hatte, keine sein konnte. Winters war überhaupt nicht aggressiv, und trotzdem konnte keiner in dem Raum gegen ihn antreten und es mit ihm aufnehmen. Essian ging in sein Büro, schloß die Tür hinter sich und ließ die ungeordneten Gedanken und gemischten Gefühle über Winters erst einmal zur Ruhe kommen. Die Sprechanlage summte, und im selben Augenblick öffnete sich die Tür. Dr. Winters lächelte ihn an, während der Robo-Sekretär sagte: »Dr. Winters ist da ... Dr. Winters, bitte warten Sie ...« Essian schüttelte den Kopf und winkte Winters hereinzukommen. »Ist schon in Ordnung. Kein Mensch hat heute noch anständige Manieren.«

Winters setzte sich und bedachte Essian mit einem halb amüsierten und halb gekränkten Blick. »Das ist keine Art und Weise, wie du über deinen einzigen Freund reden solltest.«

»Getroffen«, Essian versuchte einen leichten Ton anzuschlagen. »Was führt dich hierher?« fragte er, obwohl er genau wußte, daß ihm Winters über die Sitzung berichten wollte. Er würde so tun müssen, als ob er nicht draußen vor der Tür gestanden und zugelassen hatte, daß Winters seine Suppe, die er – ein gottverdammter Projektleiter – sich eingebrockt hatte, auslöffelte. Aber Winters zuckte nur mit den Schultern.

»Nichts Besonderes! Dachte mir bloß, daß ich mal vorbeischauen könnte.«

»Komm schon, Eric. Was ist los?«

»Wirklich, es steht alles bestens. Sachs hat sich heute morgen über irgend etwas aufgeregt, und als er dich zwischen elf und halb drei nicht zwischen die Finger bekommen konnte, wurde er noch saurer.«

Essian erkannte, daß Winters die Sitzung des Planungsausschusses nicht erwähnen würde. Winters leistete wirklich ganze Arbeit, um ihn zu schützen.

»Überwachst du jetzt etwa, wann ich meine Erholungspausen mache?« fragte Essian.

»Sind wir nicht gemein? Ich habe ihm für den Rest des Tages

frei gegeben. Hab' ihm gesagt, daß er im Park spazieren gehen soll.«

»So schlimm?«

»Ich kenn Sachs. Selbst wenn du nicht . . .«

»Selbst wenn ich bei dem Projekt nicht versagen würde?« ergänzte Essian.

Winters hob in einer verzweifelten Geste die Hände. »Du möchtest doch wohl nicht, daß ich den Satz beende? Wer ist der ‚Ich-bin-völlig-unauffällig-Typ' draußen auf dem Gang?«

Da er nicht in der Stimmung war, Winters mit Roshoffs erfundener Geschichte abzuspeisen, berichtete er dem Chef des Stabes von dem Einbruch, und daß Roshoff auf einem Leibwächter bestanden hatte; er unterschlug lediglich den Vorfall im Keller. Als er geendet hatte, beugte sich Winters nach vorne und umklammerte die Schreibtischkante.

»Das ist der Gipfel. Ein anderer Konzern ist hinter der Gleichung her, und du befindest dich zwischen den Fronten. Ich hab' das kommen sehen.« Der massige Mann rieb sich einen Moment lang über die Augenbrauen, während Essian an den Kontrollen seiner Notiztafel herumspielte, grüne und rote geometrische Muster an die Wand warf und sie wieder löschte.

»Du mußt die Sache aufstecken«, sagte Winters. »Ich meine die Gleichung. Sie bringt dir nichts als Ärger ein, und es wird sogar noch schlimmer werden. Roshoff hatte ganz recht damit, einen Leibwächter auf dich anzusetzen; er hätte zehn hinter dir herschicken sollen.«

»Du wirst hysterisch.«

»Glaubst du? Du hast noch immer keine Ahnung, was ein anderer Konzern alles unternehmen würde, nur um an die Gleichung zu kommen.«

»Sie würden mir vielleicht fünf Millionen und zusätzlich noch fünf Prozent bieten«, sagte Essian trocken.

»Zweifellos. Und wenn du nicht annimmst?«

»Warum glaubst du denn, ich würde nicht akzeptieren?«

»Hah!«

»Jeder hat seinen Preis«, beharrte Essian und verspürte langsam eine seltsame Freude über das, was er tat. Ein bestürzter Ausdruck legte sich über Winters' Gesicht und ließ seinen Schnurrbart traurig nach unten hängen, während er die Unterlippe vorschob.

»Sag das nicht, Paul. Das meinst du nicht im Ernst. Du könntest nie mehr ruhig schlafen. Es gibt Leute in Meridian, die würden dich noch im Dschungel von Südamerika finden und die Kehle aufschlitzen.«

»Ach, Eric. Die Maffia gibt es nun schon seit zweihundert Jahren nicht mehr.«

»Nur weil einflußreichere und bessere Geschäftsleute sie vertrieben haben. Mach keinen Fehler. Wenn du jemals eine Sache wie diese verkaufen solltest, dann wird Meridian an dir ein Exempel statuieren, das so schnell niemand vergißt.«

»Ja, aber meine neuen Freunde wären im Besitz der Zeitmaschine. Sie könnten doch zurückfahren und den Konkurrenzkampf verhindern, bevor er noch begonnen hat.«

Winters schlug die Hände vors Gesicht und Essian sah, daß sie zitterten. Das Schuldgefühl überkam ihn reichlich spät. »Nimm's nicht so ernst, Eric. Ich laß bloß Dampf ab. Ich würde nicht zulassen, daß man die Maschine zu diesem Zweck mißbraucht.«

Winters ließ die Hände sinken und starrte Essian an. »Du glaubst ernsthaft, daß du diese Angelegenheit unter Kontrolle halten kannst, das glaubst du wirklich?«

»Ich bin mir noch nicht einmal sicher, daß ich das Ding überhaupt bauen kann.«

»Dann laß es. Gib es auf, sag, daß es unmöglich ist, daß du dich von Anfang an geirrt hast. Paul, es ist von keinerlei Nutzen. Es bringt dir und uns nichts Gutes – der ganzen Welt nicht. Wenn du es jetzt nicht drangibst, dann setzt du dein Leben aufs Spiel. Ich will, daß du das begreifst, daß du es in deinen Eingeweiden spürst.«

Essians Schuldgefühle, daß er Winters angegriffen hatte,

lösten sich in nichts auf. »Willst du damit sagen, daß das Janus-Projekt sterben soll?«

Winters ließ sich zurücksinken, starrte an die Decke. »Ich befasse mich damit genausolange wie du.«

»Gut. Wenn du mich jetzt bitte entschuldigen willst, aber ich muß mich noch eine Weile der Notiztafel widmen.«

Winters stand langsam auf und ging mit hängenden Schultern aus dem Zimmer, wie ein alter Mann. Essian hatte sich, noch bevor sich die Tür geschlossen hatte, der Tafel zugewandt. Er war sich darüber im klaren, daß er ziemlich kurz angebunden mit Winters gewesen, nein, sogar schroff gewesen war, aber diese Schroffheit hatte ihn erleichtert. Er wußte, daß er keinerlei Recht hatte, Winters so hart anzufahren, besonders nicht, nachdem er ihn gerade vor dem Planungsausschuß verteidigt hatte. Unter den Nachwirkungen von Erics sexueller Annäherung, die noch immer als uneingestandene Spannungsquelle zwischen ihnen existierte, würde Eric seine Unfreundlichkeit als Ablehnung interpretieren. *Und was sollte sie sonst sein?*

Kurz bevor er sich mit Jill Selby traf, hatte er sich gefragt, ob er Winters sexuell ablehnte oder nicht, und jetzt hatte er die Antwort durch sein eigenes Verhalten erhalten und durch die Gefühle, die damit einhergingen. Er konnte jetzt mit einer neuen, fast gefühllosen Deutlichkeit erkennen, daß er sich am Rande einer Liebesbeziehung mit Winters bewegt hatte. Und jetzt hatte er sich zurückgezogen, weil es nicht mehr länger ... – *was* war? *Notwendig?* Himmel, er hoffte, daß es nicht so nebensächlich gewesen war. In ihm nagte die Überzeugung, daß es wichtig sei, zu verstehen, was soeben geschehen war, aber statt dessen fühlte er sich von einer Welle der Erleichterung emporgehoben. Er hatte keine Zeit, über sein Verhalten nachzudenken oder Eric gegenüber Schuldgefühle zu entwickeln, nicht einmal Zeit, um die Veränderung seiner Psyche, die endlich wieder zur Ruhe gekommen war, auszukosten. Es gab nur den fanatischen Drang zu arbeiten, zur Gleichung zurückzukehren, als habe er gerade aus einer tiefen, langen Betäubung zu sich selbst zurückgefunden.

Ideen, die lange Zeit am Boden seines Unterbewußtseins eingeklemmt gewesen waren, entwirrten sich und stiegen an die Oberfläche. Seine Finger tasteten sprunghaft über die Konsole der Notiztafel. Mathematische Gebilde entstanden und fielen wieder in sich zusammen, bis endlich eines erschien, das unter der Analyse nicht zusammenbrach. Er griff es an, unterzog es jedem Test, der ihm einfiel, und noch immer hielt es der Prüfung stand. Als er die neue Teilgleichung der Datenbank einspeicherte, waren seine Finger glitschig vom Schweiß; er schob sich das Haar aus der Stirn und trat ans Fenster, hatte Angst davor sich umzudrehen und auf sein Ergebnis zu blikken. Er war erstaunt, zu sehen, daß die Sonne schon fast untergegangen war, daß er fünf Stunden lang ohne Unterbrechung gearbeitet hatte. Er ging zum Telefon auf seinem Schreibtisch, rief Jill an und fragte, ob er in einer Stunde vorbeikommen könne. Die offensichtliche Freude in ihrer Stimme versetzte ihn in eine fast euphorische Stimmung. Er löschte die Tafel, ihre einzige mathematische Formel, die ihm von dort entgegenleuchtete, hatte sich fest in sein Gehirn eingebrannt, ging in die äußere Halle und begrüßte den verblüfften Adamly mit einem Klaps auf die Schulter.

In seinen Armen, seinen Beinen, in seinem ganzen Körper spürte er Energie und Tatendrang, während er den A-Sektor verließ und sich in die Halle begab, die sich bereits zur Hälfte mit der abendlichen Besuchermenge gefüllt hatte. Was dann geschah kam so schnell, daß nicht einmal das leise Lächeln, das auf seinen Lippen lag, ersterben konnte – der hagere,schäbig gekleidete Mann sprang vor ihn hin, richtete einen Blaster auf seine Brust und rief: »STIRB, SATAN!«

Jede Zelle seines Körpers schrie ihren Schmerz heraus, als Essian in die Schwärze fiel.

IX

Essian wollte schlafen, in der Schwärze verweilen, aber die Stimmen ließen es nicht zu. Das Rasseln, Klingeln und Quietschen löste sich auf und stellte sich als knisternde Kleider und Gläser heraus, die herumgeschoben wurden, als das leise Quietschen von Gummisohlen auf dem Kachelboden. Essians Augen waren wie zugekleistert. Er fühlte keinen Schmerz, nur eine große Taubheit in allen Gliedern. Er erinnerte sich an einen Artikel über Brandopfer: *Die tödlich verbrannte Person fühlt anfangs nicht den geringsten Schmerz, obwohl sie fast unausweichlich sterben muß.* In der Dunkelheit hinter seinen geschlossenen Lidern sah er ein bärtiges, vom Haß verzerrtes Gesicht. Selbst in der Erinnerung konnte er sich an die kleinste Einzelheit des Blasters erinnern, der so plötzlich unter dem Gesicht erschienen war.

Er versuchte mühsam sich aufzurichten, es gelang ihm nicht, zwang sich die Augen zu öffnen und starrte auf einen grünen Fleck. Während er sich noch auf die Seite rollte, sah er eine Schwester, die ihm eilig eine Nierenschale unter das Kinn schob, bevor er noch begriffen hatte, daß er sich übergeben mußte. Hinterher fühlte er sich sehr viel besser. Er hob den Kopf und stellte fest, daß er noch immer seine Kleider trug. Er hatte keine Brandwunden. Mit zitternden Fingern tastete er über die glatte, unversehrte Haut seines Gesichts.

Neben ihm kicherte jemand; ein weicher, von Fettpolstern erstickter Laut. Zum ersten Mal nahm er jetzt Roshoff und Adamly wahr, die neben seinem Bett standen. Adamly sah mit seinem üblichen neutralen Gesichtsausdruck auf ihn herab, und wohin die funkelnden stahlgrauen Augen des Sicherheitsbeamten starrten, vermochte Essian nicht zu sagen.

»Ist es nicht großartig«, sagte Roshoff, »wenn man aufwacht und feststellt, daß der Tod einen verschont hat?«

Essian versuchte sich zu räuspern, seine Kehle brannte,

nachdem er sich übergeben hatte. »Ja, wirklich großartig.«

»Sie können Adamly für Ihr Glück danken, Doktor. Er hat sehr schnell geschossen.«

Diesmal gelang es Essian sich aufzurichten. »Aber ich befand mich doch teilweise in der Schußlinie zwischen Adamly und dem Attentäter.«

»Deshalb ja«, sagte Roshoff. »Wenn meine Leute jemand in einer Menschenmenge beschatten haben sie ihre Waffen auf eine große Brennweite eingestellt. Sie befinden sich in der Gesellschaft von elf Leuten, die alle ein plötzliches Nickerchen machen mußten, einschließlich Ihres Attentäters.«

Essian sah Adamly an. »Vielen Dank.«

»Ist mein Job.«

Roshoff grinste bis über beide Ohren. »Wie schön, daß Sie beide so gut miteinander auskommen. Wie Sie sehen, Dr. Essian, waren meine Vorsichtsmaßnahmen durchaus notwendig. Sieht so aus, als ob unsere Freunde von Ameritec ein Spiel vom Tisch zu wischen suchten, das sie nicht mehr gewinnen können. Tatsächlich beruhigt mich das Attentat auf Sie zu einem guten Teil in bezug auf Ihre Loyalität.«

Essian staunte den Sicherheitsbeamten an und mußte voller Abscheu feststellen, daß es Roshoff ernst damit war. »Ist der Mann, der es auf mich abgesehen hatte, inzwischen wieder bei Bewußtsein?«

Roshoff schüttelte den Kopf. »Nein, sobald er aufwacht wird man mich sofort unterrichten.«

»Wie können Sie dann wissen, daß er von Ameritec kommt?«

»Abgesehen von den eindeutigen Motiven haben wir noch einen recht interessanten Hinweis. Es sieht so aus, als ob sich die Fingerabdrücke und Netzhautteilchen unseres Möchtegernmörders nicht in der Computerbank der Verwaltung finden ließen, die ja von allen Konzernen gemeinsam benutzt wird. Um die Kenndaten einer Person zu entfernen, braucht es eine Menge Einfluß – den Einfluß eines Konzerns.«

Die Tür des Krankenzimmers öffnete sich halb und eine grauhaarige Frau blickte Roshoff auffordernd an.

»Wenn Sie mich bitte entschuldigen wollen«, sagte der fette Mann.

Essian schwang die Beine über die Bettkante, mußte aber nach den Laken fassen, als ihm plötzlich schwindlig wurde. »Ich komme mit.«

»Ausgeschlossen.«

»Der Mann hat versucht mich umzubringen. Ich will ihn sehen.«

Roshoff blickte ihn abschätzend an. »Vielleicht können Sie uns ja von Nutzen sein. Aber ich warne Sie, es wird unter Umständen wenig erfreulich werden.«

Essian stand auf und taumelte. Roshoff trat geschickt beiseite, als Adamly Essian beim Arm packte und ihn stützte. »Immer hübsch langsam«, beruhigte ihn der Leibwächter. »So schnell läßt die Betäubung nicht nach.«

»Wir wollen den Mann nicht warten lassen«, sagte Roshoff.

Der Attentäter wurde in einer Zelle am unteren Ende des Korridors, der zur Krankenstation der Sicherheitsabteilung gehörte, festgehalten. Als sie die Zelle erreichten, fühlte sich Essian wieder recht sicher auf den Beinen und schüttelte Adamlys Hand dankend ab. Der hagere Mann saß steif wie eine Schaufensterpuppe auf einem Fesselstuhl, dessen Kraftfeld auf Maximum gestellt war. Als er sah, wie Essian hinter Rosshoff ins Zimmer trat, fiel sein Gesicht in sich zusammen. Die grauhaarige Frau blieb neben dem Stuhl stehen; auf ein Zeichen von Roshoff schaltete sie das Kraftfeld ein wenig herunter, und der Mann sank nach vorne. Im Raum roch es nach Erbrochenem, und Essians Halsmuskeln zogen sich krampfhaft zusammen. Roshoff beugte sich dicht über den hageren Mann, wodurch er ihn zwang, seine Augen von Essian zu lösen.

»Wer sind Sie?«

Der Mann krauste die Nase, als ob ihn Roshoffs Atem

anekelte. »Ich heiße Ozymandias, König der Könige.«

Roshoff grunzte. »Oh, ein Intellektueller. Ihre Personalangaben befinden sich nicht im Computer. Warum nicht?«

»Weil du aber lau bist und weder warm noch kalt, werde ich dich ausspeien aus meinem Munde.«

»Offenbarung Johannes, Kapitel 3, Vers 16«, sagte Roshoff.

Die Augen des Mannes verrieten einen Moment lang sein Erstaunen. »Hat der Computer Sie ‚ausgespuckt' oder waren Sie niemals katalogisiert?«

»Die Heisenbergsche Unschärferelation.«

»Sind Sie einer der Wildnis-Leute?«

Essian erinnerte sich an diesen Begriff, ihm fielen Geschichten ein, daß einige Menschen immer noch in den Wäldern zwischen den Städtetürmen lebten, das zivilisierte Leben verachteten und die einfache Lebensform der Nomaden vorzogen. Einige Jahre zuvor war eine Gruppe dieser Menschen verdächtigt worden, eine Reihe von Bulldozern und landwirtschaftlichen Maschinen gestohlen zu haben und mit ihrer Hilfe außerhalb von Transglobal Atlanta Ackerbau zu betreiben. Der hagere Mann starrte Roshoff an, ohne zu antworten.

»Warum wollten Sie diesen Mann umbringen?« fragte ihn Roshoff.

»Er ritt in die Pforten des Todes . . .«

Essian stieß den überraschten Roshoff beiseite und stürzte sich gegen das Kraftfeld, während der Mann zuerst zurückzuckte und ihn dann anzuspucken versuchte.

»Sie haben versucht mich umzubringen«, schrie er ihn an, »und ich will jetzt wissen warum.«

»Teufel! Satan!« zischte der Mann. Speicheltröpfchen, die vom Kraftfeld zurückgeschleudert wurden, sprenkelten seinen verwilderten Bart. Adamly zog Essian zurück, und Roshoff warf ihm einen kurzen Blick zu, bevor er sich wieder an den Attentäter wandte.

»Sieht so aus, als ob wir Sie ein bißchen pellen müßten,

bevor wir ans Fruchtfleisch gelangen«, sagte der Chef der Sicherheitsabteilung. Die grauhaarige Frau, die mit offenkundigem Interesse an die Decke gestarrt hatte, straffte sich.

»Soll ich die Meningigram-Anlage bringen?«

Roshoff nickte.

Der Mann im Stuhl holte tief Luft und sah sich im Zimmer um, als ob er sich jede Einzelheit einprägen wollte. Dann verdrehten sich auf einmal seine Augen, und er sackte nach vorne gegen das Kraftfeld.

»Stellen Sie's ab«, befahl Roshoff. Adamly schob Essian hinter sich in Deckung und zog die Waffe, während die grauhaarige Frau das Kraftfeld abstellte. Der hagere Mann sank mit so seltsam schlaffen Gliedern zu Boden, daß Essian ein Schauer durchlief. Roshoff kniete sich neben ihn auf den Boden und versuchte am Hals den Puls zu tasten. Schließlich drehte er sich zu Essian um, und seine brennenden Augen schienen ihn anzuklagen.

»Er ist tot.«

*

Nachdem sich Adamly versichert hatte, daß sich Essian in seiner Wohnung immer noch im Sicherheit befand, winkte ihn Essian hinaus und rief Jill an. Als sie den Hörer schon beim zweiten Klingeln abhob, fühlte er sich erleichtert.

»Ist was passiert?« Sie starrte ihn vom Bildschirm aus an.

»Es tut mir leid, daß ich nicht erschienen bin, nachdem ich dich vom Büro aus angerufen hatte, aber . . .« setzte Essian an.

»Paul, was war los?«

»Das möchte ich dir lieber nicht am Telefon erzählen. Kannst du herkommen?«

»Ich bin gleich da.«

*

Essian schenkte sich einen Scotch ein und nippte langsam daran, während er auf Jill wartete und darüber nachdachte, was die grauhaarige Frau, die Ärztin, gesagt hatte. Sie hatte gemeint, daß das Herz des Mannes einfach aufgehört hatte zu schlagen. Sie hatte es Roshoff mitgeteilt, und dieser hatte nur genickt, so als ob es die natürlichste Sache der Welt sei, daß das Herz eines Mannes einfach ohne ersichtlichen Grund zu schlagen aufhörte. Essian nahm einen Schluck und fragte sich, ob der Mann wohl gewußt hatte, was ihm seine Auftraggeber angetan hatten; ob er wohl wußte, daß man ihm einen Kommandosender in seine Hirnrinde eingepflanzt hatte, der so stark war, daß er alle anderen Teile des Gehirns ausschaltete, sobald er einen von außen kommenden Schlüsselreiz erhalten hatte? Daß es augenblicklich die Tätigkeit des großen roten Muskels im Zentrum seines Körpers lähmen würde, so daß das Blut nicht mehr floß und er starb: hatte er das gewußt?

An der Tür läutete es, und Essian ließ Jill eintreten. Sie trug einen fließenden, schwarzseidenen Dinneranzug. Er sog ihr Parfum ein, eines von den neuen geruchsverändernden Düften von Occidental, das im Augenblick leicht nach Vanille roch. Bevor er noch ein Wort sagen konnte, platzte sie schon heraus. »Was ist mit dir geschehen?«

Essian führte sie auf die Couch und ging dann an die Bar, um ihr einen Scotch einzugießen. »Weshalb meinst du denn, daß etwas geschehen sein müßte?«

Sie nahm das Glas und ließ den Blick nicht von seinem Gesicht, während er sich neben sie setzte. »Vielleicht kann ich ja hellsehen«, sagte sie, »aber vielleicht sind es auch nur deine beiden Veilchen.« Ihre bekümmerte Stimme strafte die schnippischen Worte Lügen.

Essians Hand tastete über sein Gesicht. »Nimmst du mich auch nicht hoch? Hab ich wirklich zwei blaue Augen?«

»Paul, hör endlich auf damit!«

»Ich wurde mit einem Lähmer beschossen«, sagte er, wobei seine Hände noch immer prüfend über das Gesicht fuhren.

Sie nippte am Glas. »Worüber reden wir nun als Nächstes?«

»Im Ernst.«

»Ich weiß.« Sie stellte das Glas auf den Tisch, das leise klirrte, als sie die Hand zurückzog. »Schieß los.«

Essian ließ sich von seinen eigenen Argumenten überzeugen: Sie hatte ebenso wie er einen Ausweis von Meridian ausgestellt bekommen, der ihre Loyalität bewies; Ameritec – oder sonstwer – wußte sowieso schon über die Janus-Gleichung Bescheid und *bei Gott, diese Hunde hatten versucht, ihn umzubringen!* Essian erzählte ihr alles – alles über die Janus-Gleichung, über Droits Anwerbungsversuche auf Betreiben von Ameritec, über seine wochenlangen vergeblichen Bemühungen, mit der Gleichung weiterzukommen, über das darauffolgende Meningigram bei Golding, die Unterredung im Keller mit dem Mann, dessen Gesicht er nicht erkennen konnte, über den kleinen, aber bedeutsamen Fortschritt, den er gerade vor dem Anschlag erzielt hatte. Als er endlich geendet hatte, starrte sie ihn geistesabwesend an. Da er die Anzeichen tiefer Konzentration bemerkte, wartete Essian geduldig.

»Es gibt keinen Ausweg, nicht wahr? Wenn du versuchen würdest auszusteigen, dann legten dir deine eigenen Leute die Daumenschrauben an. Eine so außergewöhnliche Sache kann man nicht mehr aufgeben, wenn sie erst einmal begonnen wurde.«

Er nickte, dankbar, daß sie nicht darüber lamentierte wie Winters es getan hatte.

»Paul, eine Zeitmaschine.« Sie trank den Scotch aus und lehnte sich zurück. Auf ihren Wangenknochen erschienen zwei rote Flecken. »Was wirst du wegen des Ultimatums unternehmen?« fragte sie ihn.

»Ich habe versucht, darüber nachzudenken, aber die Antwort bleibt immer die gleiche. Es gibt nichts, das ich tun könnte. Wenn ich bei Meridian um mehr Schutz nachsuche, dann ende ich eingesperrt in einer ihrer Zellen anstatt in einem anderen Städteturm – Schutzhaft nennen sie das. Und außerdem besteht die Möglichkeit, daß derjenige, der mich geschnappt hat, blufft. Irgendwie kann ich mir nicht vorstellen, daß sie so kurz nach ihrem Angebot schon jemand schicken sollen, der mich aus dem Wege räumt. Und wenn sie versuchen sollten, mich auf Dauer von hier zu entfernen, dann entfesseln sie damit einen Krieg der Konzerne.«

»Trotzdem, nichts zu tun ist . . .«

»Jill, ich habe keine andere Wahl. Es gibt nichts, das einen Erfolg versprechen würde. Und ich brauche all meine Kraft für die Gleichung.«

Sie nickte. »Paul, ich würde sie mir gerne ansehen. Würdest du sie mir zeigen?«

Langsam ging Essian die beiden Treppenabsätze zum Schlafzimmer hinauf; nahm sich sehr feierlich viel Zeit für eine Entscheidung, die er bereits getroffen hatte. Als er zurückkam, hielt er sein eigenes, kleines Schaltbrett in der Hand. Er war erstaunt und angetan über die Schnelligkeit, mit der sie ihm durch die einzelnen Schritte der Gleichung bis zu dem Teilergebnis folgte. Dann machte sie einen Vorschlag, und Essian starrte sie an, völlig betäubt von der Erkenntnis, daß er zum erstenmal in seinem Leben einem Verstand begegnet war, der genauso überragend war wie sein eigener, wenn nicht noch überlegener. Er widmete sich wieder der Schalttafel und begann zu rechnen; erst langsam und dann mit immer größerer Sicherheit. Sie beugte sich so dicht neben ihm über das Brett, daß ihre Wange, durch den schwarzen Vorhang ihres Haares, fast die seine berührte. Von Zeit zu Zeit fiel ein einzelnes Wort oder auch ein Satz, Essian drang immer weiter vor, kaum daß er wußte, ob sie es gesagt oder er es gedacht hatte.

Endlich kamen sie mit der Gleichung nicht mehr weiter. Jill gähnte und kuschelte sich in seine Armbeuge. Essian schaute auf die Uhr über der Bar, und nachdem er sich an die weitere Entfernung gewöhnt hatte, sah er, daß es bereits drei Uhr morgens war. Auf der Notiztafel war eine Gleichung zu erkennen, die nur noch wenige Schritte vor ihrer Vollendung stand. Er ließ den Kopf auf Jills sinken und war noch während er daran dachte, wie frisch ihr Haar roch, eingeschlafen.

X.

Essian stand vor der Wohnungstür von Eric Winters und überlegte ein letztes Mal, was er sagen würde, wenn der richtige Augenblick gekommen war. Scotch und *Placemotes*, die er noch immer warm in seinem Magen spürte, erfüllten ihre Aufgabe; er hatte keine Angst. Hinter ihm räusperte sich Adamly, und Essian betätigte die Klingel, erstaunt darüber, daß er fast eine Minute lang wie in Trance dort gestanden hatte. Die Tür öffnete sich, und Winters bat ihn herein, ohne den Leibwächter zu beachten, der im Gang stehenblieb. Wortlos ging der massige Mann ins Kaminzimmer voran. Es war das erste Mal seit jenem Abend, an dem er so kläglich versagt hatte, daß sich Essian in der Wohnung seines Freundes aufhielt. Wände und Vorhänge des Kaminzimmers hüllten ihn mit dem Duft des Freundes ein – das volle Aroma des Pfeifentabaks, das sich mit seinem herben Eau de Cologne mischte. Igend etwas in ihm rollte sich unter der sinnlichen Ausstrahlung des Ortes träge zusammen, und Essian fühlte einen scharfen Schmerz im Hals, der schon fast an Ekel grenzte. *Was halte ich eigentlich wirklich von diesem Mann?* fragte er sich. *Nein, was fühle ich ihm gegenüber?* Plötzlich bedauerte er, die *Placemotes* Beruhigungstabletten geschluckt zu haben.

»Ich habe mich oft gefragt, wann du wohl dieses Gespräch führen würdest«, sagte Winters.

»Ich hätte es schon früher tun sollen, aber ich hatte einfach zu viel zu tun.«

»Das habe ich gemerkt. Du hast eine Woche lang fast wie ein Besessener gearbeitet. Der ganze Stab hat kein anderes Gesprächsthema mehr.«

»Außer dir.«

»Außer mir. Was ist passiert?«

Essian dachte an den Augenblick vor sechs Tagen zurück, als er Jill von Janus erzählt hatte. Nachdem sie gemeinsam an der

Gleichung gearbeitet hatten, wußte er, daß das Projekt innerhalb weniger Wochen beendet sein würde. Daß er sich aber nur sechs Tage später bereits nur noch einen winzigen Schritt vom Erfolg entfernt befinden würde, hatte selbst er nicht zu hoffen gewagt. Erst jetzt, im Nachhinein, konnte er erkennen, wieviel Angst er vor jener Nacht gehabt hatte. Aber es waren keine weiteren Anschläge auf sein Leben erfolgt; es gab keinen Hinweis auf eine Störung durch Ameritec. Jetzt schien es offensichtlich zu sein, daß sie so weit gegangen waren, wie sie es wagen konnten. Alles würde gutgehen. Später am Abend würde er endlich, endlich, mit Jill schlafen, würde endlich die Frau, die ihn gerettet hatte, in den Armen halten. Er würde nicht befürchten müssen, erneut zu versagen, denn er fühlte sich inzwischen wieder stark und kräftig. Er würde keinerlei Schuldgefühle gegen Eric Winters haben. Selbst Adamly, der wie ein zurückgewiesener Racheengel vor seiner Haustür auf- und ablaufen würde, konnte sich dann nicht in seine Gedanken drängen, um den Augenblick zu verderben.

Winters wartete auf seine Antwort.

»Nichts ist passiert«, sagte Essian, denn er wußte genau, daß er Winters nicht erklären konnte, welchen Einfluß Jill auf ihn gehabt hatte. »Ich hab in der Luft gehangen, und dann ging es auf einmal wieder.«

»Einfach so?«

Die kleinen Büschel schwarzen Haares auf Winters' Handrücken schienen Essians Blick magisch anzuziehen und festzuhalten. »Ich denke, wir sollten uns über meinen Chef unterhalten«, sagte er. »Während ich gearbeitet habe, ist er auf dem Zahnfleisch gelaufen.«

»War ich wirklich so schlimm?«

»Komm schon, Eric. Seitdem ich die Spur wieder aufgenommen habe, haben wir keine zehn Worte am Tag miteinander gewechselt. Du warst mir keinerlei Hilfe.«

Der Schmerz verzerrte Winters' Gesicht ein wenig, zog sich

dann aber wieder unter die Oberfläche zurück. »Du hättest mich jederzeit rufen können.«

»So haben wir nie miteinander gearbeitet. Du hast mich auf dem laufenden gehalten, ohne daß ich nachfragen mußte, hast dich um Einzelheiten gekümmert, mir Unterbrechungen vom Hals gehalten.«

»Du hast niemanden gebraucht, der Störungen vor dir fern hielt. Du hast mich auch nicht gebraucht. Du scheinst inzwischen über andere Möglichkeiten zu verfügen.«

Essian versuchte in Winters' Gesicht zu lesen, während der Mann die Augen niederschlug und sich damit beschäftigte, seine Bruyèrepfeife zu stopfen. Die Erkenntnis, daß Winters eifersüchtig war, verwirrte ihn trotz des leichten Rauschzustandes durch die *Placemotes. Was wußte er von Jill?*

»Das ist nicht der springende Punkt, Eric, und das weißt du auch. Du hast dich mehr und mehr zurückgezogen, bist fast ungenießbar geworden. Irgend etwas wurmt dich.« Als der andere Mann ihm keine Antwort gab, machte sich Essian innerlich hart und führte die Sache weiter. »Was willst du weiterhin mit Janus anfangen?«

»Was meinst du damit?«

»Du warst doch von Anfang an dagegen.«

»Sei nicht ungerecht. Ich bin der Sache ganz berufsmäßig nachgegangen und habe meine persönlichen Gefühle aus dem Spiel gelassen.«

»Wie ein alter römischer Prätorianer, der bereit ist, sich für seinen Herrn in Stücke reißen zu lassen.«

»Willst du mich verwirren?«

»Ich versuche lediglich herauszufinden, was du weiterhin mit Janus vorhast.«

»Ob ich für meine Überzeugung einstehe wie ein richtiger Mann?« Winters wurde sarkastisch.

Essian zuckte die Schultern.

»So einfach ist das nicht. Okay, ich habe darüber nachgedacht, wie ich das Janus-Projekt abblocken könnte. Aber ich habe mich *dir* gegenüber immer loyal verhalten, Paul. Ich war loyal, und jetzt machst du dich über mich lustig und fällst mir in den Rücken. Aber duhast deine Klischees ein wenig durcheinandergebracht. für dich bin ich nicht der Prätorianer sondern der Palasteunuch.«

»Das ist doch Quatsch . . .«

»Nein; nein, es ist wahr. In gewisser Weise verachtest du mich, Paul. Wenn du mich anschaust, dann siehst du einen großen, kräftigen Mann, einen starken Mann, und du erwartest von mir, daß ich herumlaufe, die Leute beim Kragen packe, daß ich mir auf die Brust schlage und alles, was sich mir in den Weg stellt, niederwalze.«

»Eric, hör auf.«

»Laß mich ausreden. Du hast eine bestimmte Vorstellung davon, wie ein *Mann* zu sein hat. Vom Äußeren her entspreche ich deiner Idealvorstellung, bin ich die leibliche Verkörperung deiner Idee. Wenn du aber versuchst, in mein Inneres vorzudringen, dann verwirrt es dich, und du ziehst dich zurück. Das hat unsere Beziehung von Anfang an belastet, und ich habe schon oft mit dir darüber reden wollen, aber ich habe deine Angst gespürt und habe mich deshalb zurückgehalten.

»Ich habe keine Angst vor dir.«

»Nicht direkt. Aber du hast Angst vor dem, was ich dir bedeuten könnte. Ich bin die vollkommene Verkörperung deiner schlimmsten Ängste in bezug auf dich selber. Du siehst mich an und fragst dich: Ist Eric nun ein Mann oder ist er es nicht? Er sieht groß und stark aus, aber er ist freundlich und empfindsam. Wo bleibt sein Konkurrenzverhalten und sein Kampfgeist? Sollten richtige Männer denn nicht immer in Konkurrenz zueinander stehen, immer die Spitze erreichen wollen? Er aber hat all die Jahre immer nur für andere Männer gesorgt.

Du stellst irgendwelche Vermutungen wegen meines Körpers, und siehst erschreckende Widersprüchlichkeiten, die nur für dich da sind, Paul. Das, was du nie verstanden hast, ist, daß ich genau derjenige bin, der ich sein will. Ich habe mich nämlich deshalb nicht durch die Hierarchie der Korporation hinaufgearbeitet, weil sie mich einen feuchten Schmutz interessiert, aber der Ehrgeiz, den ich für mich selber habe, ist so stark entwickelt wie der eines jeden Menschen. Ich möchte die Menschen besser verstehen können. Ich möchte sie noch besser verstehen, als ich das jetzt schon tue, möchte sie besser fühlen und empfinden können. Ich bin verdammt gut in meinem Job, Paul, weil ich hier nämlich die Dinge brauche, die ich auch an mir selbst am meisten verwirklichen möchte. Ich habe nichts, wie ich es dir oder irgend jemand anders beweisen könnte; mein Körper ist keine Idealvorstellung, an die ich mich annähern möchte, sondern ein Vehikel , das es mir ermöglicht, mich fortzubewegen. Mein Körper ist ganz in Ordnung und auf eine seltsame, nebensächliche Art bin ich sogar stolz auf ihn, aber er empfindet Glück und Schmerz genauso, wie jeder andere Körper auch. Du sitzt da und fragst dich, ob ich nun ein richtiger Mann bin oder nicht, und die Frage erschreckt dich; deshalb will ich sie dir beantworten. Ja, Paul; ich bin ein richtiger Mann, und der Beweis dafür ist, daß ich auch im Stehen pinkeln kann.«

Während Winters redete, hatte sich Essians Unbehagen verstärkt. *Warum sagte er diese Dinge? Sie waren doch nicht wichtig, überhaupt nicht. Bevor er Jill getroffen hatte, mochte es vielleicht eine Zeit gegeben haben, wo er sich über sich selbst nicht im klaren gewesen war, aber jetzt doch nicht mehr.* Essian überlegte sich, wie er die Unterhaltung auf den Ausgangspunkt zurückführen konnte, damit er das Problem weswegen er gekommen war, erledigen konnte.

»Ich kenn dich, Paul«, sagte Winters. »Ich kenn dich sehr gut, auf eine Art, wie du dich nie gekannt hast. Heute nacht glaubst du, daß du alle Probleme gelöst hättest. Es geht dir glänzend, das ist nicht zu übersehen.«

»Ich weiß überhaupt nicht, wovon du redest«, entgegnete Essian. »Können wir . . .«

»Aber es ist noch nicht vorbei. Du weißt noch immer nicht, wer du eigentlich bist, aber du mußt es wissen – wer du bist, und was du bist; du mußt es herausfinden.«

»Verdammt noch mal . . .« Essian hielt inne und wartete, bis sich die Angst wieder unter die Oberfläche der *Placemotes* zurückgezogen hatte. »Wir haben über deine Einstellung zu Janus gesprochen.«

Winters' Gesicht zeigte Enttäuschung und dann Resignation. »Ich Ordnung, Paul. Ich habe es gewußt, ich habe es die ganze Zeit gewußt, daß ich mich in bezug auf Janus irren könnte, die Reise in die Zeit könnte der Menschheit ein glorreiches neues Zeitalter eröffnen. Wenn ich glauben würde, daß *du* auch so denkst, dann würde es einen Unterschied machen. Aber ich weiß, daß du es nicht tust.«

»Ich glaube, daß die Zeitreis . . .«

»Ja? Mach weiter.«

Als Essian schwieg, legte Winters die Pfeife, die er noch nicht einmal angezündet hatte, aus der Hand und preßte in einer Geste völliger Erschöpfung den einen Daumenknöchel gegen die Stirn. »Du glaubst, daß die Reise in der Zeit den wunderbarsten und berauschendsten Durchbruch in der Geschichte der Wissenschaft darstellen wird – und du hast recht. Aber es wird auch noch etwas anderes sein, etwas ganz Entsetzliches.«

Essian starrte den Freund, sah wie der Knöchel die Haut über dem Knochen grausam hin- und herzerrte. Endlich stieß er die Worte hervor. »Du hast versucht, uns an Ameritec zu verkaufen, nicht?«

Winters saß lange Zeit still. »Verstehst du denn nicht, Paul? Das Wissen um die Reise in der Zeit darf niemals nur einer Machtgruppe zugänglich sein.«

Essian stand auf und blickte Winters gerade ins Gesicht; die Hände schwer wie Blei. Die Besänftigung, die er durch die *Placemotes* erreicht hatte, war geborsten wie sprödes Ei. »Du Schwein, mußtest du das durch eine Frau tun?«

»So kommt es zu guter Letzt eben doch heraus«, meinte Winters. »Die Frau hat mit der ganzen Sache nichts zu tun; nur du und ich.«

»Wir waren Freunde«, schrie ihn Essian an. »Gute Freunde und nichts weiter. Zwischen uns hat es nie eine sexuelle Beziehung gegeben.« Der Zorn hatte seine Abwehrmauer eingerissen, und Essian erinnerte sich an seine Mutter und deren Freundin; es war nur eine blitzartige Erscheinung, die aber so lebendig war, daß sich das Bild der beiden Frauen wie eine Doppelbelichtung über Winters zu legen schien. Sie wälzten sich im Bett, nackt, zwei blasse Körper, die von einer schrecklichen Leidenschaft besessen waren.

»Du hast mich gewollt«, sagte Winters leise. »Ich weiß, daß es so ist, und wir wären auch zusammengekommen, aber dann kam *sie* dazwischen und hat dich pervertiert.«

»Mich pervertiert? Du bist derjenige, der krank ist, falsch herum . . .«

Winters schoß aus seinem Stuhl hoch und fuhr Essian ungeschickt an den Hals. Essian drehte sich zur Seite, schlug blindlings zu und traf Winters am Ohr. Mit wortlosem Gebrüll packte ihn der massige Mann um die Taille, und sie fielen krachend zu Boden. Einen Augenblick lang wälzten sie sich durchs Zimmer, warfen Möbel um und hatten sich in einander festgebissen wie zwei Wilde. Winters gewann die Oberhand, setzte sich rittlings auf Essian, wobei er ihm beide Arme auf den Boden drückte.

»Hab dich«, grunzte er.

Essian wehrte sich noch einmal und gab es dann auf. Sie atmeten beide schwer und heftig, bis Winters sagte: »Das ist idiotisch.«

Essian spürte gegen seinen Bauch, wie es sich bei dem anderen zu versteifen begann. Der Umschwung erschreckte und schockierte ihn: vom Kampf zum physischen Druck, zur körperlichen Nähe seines Körpers zu dem von Winters, das Vermischen ihres Schweißes, der Widerstreit und dann der Ausgleich – nah und überwältigend. Die plötzliche Intimität ließ eine zitternde Panik in Essian aufkommen.

»Geh von mir runter, Eric.« Der schwere Mann stand augenblicklich auf, lehnte sich gegen die Armlehne eines Stuhles. Essian erhob sich und strich die Kleider glatt.

»Du wirst Meridian verlassen müssen«, keuchte er.

»Sie ist nicht das, was sie zu sein scheint, Paul.«

»Halt den Mund!«

»Kurz bevor du gekommen bist, habe ich einen Anruf getätigt«, beharrte Winters. »Ich habe einen Freund von mir in Abteilung E angerufen.«

Essian starrte den anderen Mann an. *Jill machte Urlaub von ihrer Arbeit bei Abteilung E. Aber er hatte Winters nie erzählt, wo sie arbeitete.* »Du hast sogar sie überprüfen lassen«, sagte er voller Abscheu.

»Du solltest froh sein, daß ich es getan habe.«

»Du brauchst dein Büro nicht mehr aufzuräumen. Wenn du morgen noch hier bist, werde ich dich von Roshoff verhaften lassen.«

»Sie arbeitet nicht in Abteilung E, Paul. Niemand dort hat je von ihr gehört.«

»Du lügst.« Essian versuchte nachzudenken.

»Dann prüf es doch selber nach.«

»Das brauche ich nicht. Ich war selbst dabei, als Adamly ihre I.D. mit seinem Scanner überprüft hat. Niemand könnte unter der Haut liegende Muster nachahmen. Die Chancen stehen eins zu einer Milliarde.«

»Sie ist ein Miststück, Paul. Der Himmel möge mir vergeben. Es tut mir leid, aber es ist wahr . . .«

Im Flur vor Winters' Wohnung war der Schrei eines Mannes zu hören, der dann plötzlich erstarb. Einen Augenblick lang standen die beiden Männer wie festgewurzelt, ihr Wille und ihr Reaktionsvermögen waren von der Entsetzlichkeit des Lauts gebannt. Dann stürmten sie gemeinsam ins Wohnzimmer, dessen Tür leise aufglitt. Adamly taumelte auf Knien über die Schwelle, das Gesicht vor Schmerz verzerrt und einem verkohlten Loch in der Brust. Fünf Männer in grauen Kapuzen traten über den Leibwächter hinweg und richteten ihre Blaster auf Essian.

XI

Essian blickte von den Blastern in Winters Gesicht, in dieses schreckliche, blutleere Gesicht, das so undruchdringlich war wie eine Totenmaske.

»Du Mistkerl«, sagte er. Winters starrte vor sich hin, jenseits aller Antwort, während die maskierten Männer weiter in das Zimmer vordrangen. Zwei der Männer nahmen hinter Essian Aufstellung, während ein dritter auch weiterhin seinen Blaster auf ihn gerichtet hielt. Die anderen beiden nahmen keinerlei Notiz von Winters und zogen Adamlys Leiche von der Türschwelle fort, damit sie sich schließen konnte. Ein automatischer *Vacunit* fuhr aus einer Wandnische aus und sprühte einen Strahl Karbon-Tetrachloride auf den Blutfleck zwischen den Füßen des Leibwächters. Als man seine Arme von hinten packte, war Essian über die spastische Bewegung, mit der sich Winters nach vorne beugte, um sich zu übergeben, erstaunt. Der Mann vor ihm holte von irgendwo eine Waffe hervor, ein leiser Knall war zu hören, wie der Korken, der aus einer Sektflasche schießt, und dann tat sich unter Essians Füßen der Boden auf.

Mit dem Wissen um das Nichts endete das Nichts plötzlich, ging in allmählichen Abständen in verwirrende Bilder über, die sich mit wohlbekannten Hinweisen mischten. Er hing an ein paar Seilen, die ihn an den Achselhöhlen hochzogen, und irgend jemand zerrte an den Tauen, als Jill Selby mit ausgebreiteten Armen an ihm vorbeigeführt wurde. Rote Nadelstiche schossen ihm unter den geschlossenen Lidern in die Augen, so als ob jemand mit einem Laserstrahl über sein Gesicht fahren würde. Die Nadelstiche umgaben Jills Bild ganz dicht, während sie immer wieder versuchte, sich ihm zu nähern, Magen, Herz und Lunge drückten gegen die Wirbelsäule, die Fesseln waren plötzlich von seinen Armen gefallen, und aus Jills Mund kam ein knatternder Laut, als sie die Hand ausstreckte, um sein Gesicht zu berühren. Er versuchte ihr auszuweichen, aber die Hand legte sich an seine Wange, drang in sein Fleisch ein und löste sich auf, als das Knattern lauter wurde und zum Geräusch eines fliegenden Hubschraubers wurde.

Er erinnerte sich an das letzte Mal, als er mit einem Stunner niedergeschossen worden war, und so hob Essian den Kopf nur in winzigen Schritten über die Schwelle der Übelkeit hinweg an. Hinter der Kuppel des Raumes zeichnete sich undeutlich die erleuchtete Wabe eines Städteturms ab, bis nichts anderes mehr zu sehen war. Als es so aussah, als ob der Hubschrauber mit dieser Wand aus Licht zusammenstoßen wollte, stieg er plötzlich bis über die Spitze des Turmes empor und landete auf einem Vorsprung im Dach. Durch den allesüberdeckenden Nebel in seinem Gehirn, der durch die Betäubung ausgelöst war, bemerkte Essian, daß der Hubschrauber in sehr geringer Höhe geflogen war, um der Radaraufzeichnung von Meridian Alpha zu entgehen.

Der Hubschrauber setzte sich auf. Die fünf Männer schauten Essian erwartungsvoll an, aber er entschied sich dafür, den Bogen nicht zu überspannen. Er stöhnte, setzte sich auf, schwankte etwas im Stehen und versuchte die hilfreich ausgestreckten Hände, die ihn stützen wollten, abzuschütteln. Die Männer halfen ihm auszusteigen. Ein kräftiger Wind blies kühl und anregend über das Dach. Als sie den Schacht erreicht hatten, der sie nach unten führen sollte, hatte er wieder einen fast klaren Kopf und konnte ohne Hilfe stehen. Der Fahrstuhl glitt ein Stockwerk tiefer und hielt auf der Höhe der Chefetage. Drei der Männer hielten sich hinter Essian, während die anderen beiden ihn durch eine Halle zu einer Wand mit unzähligen Doppeltüren führten; Platin, mit Intarsien aus gehämmertem Gold, die Ränder mit Einhörnern und anderen Fabelwesen verziert.

Licht lief an den geschwungenen Türen hinunten, als sie sich nach innen öffneten und den Blick auf eine Szenerie freigaben, die Essian den Atem stocken ließ, ihm seinen Herzschlag und die sich dehnenden Lungen zu Bewußtsein brachten. Es war völlig unmöglich, und doch stand er schwankend am Rande eines Abgrundes. Instinktiv suchte Essian bei den unnachgiebigen Wachen Schutz. Er blickte über Hügel, die so tief unter ihm lagen, daß die Atmosphäre ihr Grün verschluckt hatten und flimmernd über den Klecksen der Wälder lag, die an Achate erinnerten. Zwanzig Meter weiter schwebte eine Gruppe von vier verchromten Stühlen mit drei alten Männern, die ein junges Mädchen mit langem Haar und knabenhaft schlanken Beinen beobachteten, das in einer rieseigen halbrunden Blase smaragdgrünen Wassers schwamm, die ohne jede Halterung aufgehängt zu sein schien. Als sich die Türen öffneten, tauchte das Mädchen, das nur wenig älter als ein Kind war, aus dem Wasser auf, schüttelte es sich aus den Haaren, schritt über das Nichts davon, um durch eine Regenbogenhaut hindurch zu entschwinden, die sich offen im Himmel drehte.

Es war natürlich ein Trugbild, sagte sich Essian. Es war zwar bekannt, daß Ameritec jegliche Möglichkeit einer Verzerrung seiner drei-dimensionalen Produkte ausgeschaltet hatte, aber die empfundene Wirkung wurde durch die Tatsache der logischen Unwirklichkeit nicht verringert.

Einer der alten Männer erhob sich und winkte Essian heran. Ein Wächter stieß ihn auffordernd in den Rücken, er trat über den Rand des Vorsprungs hinaus und ging mir lächerlich geknickten Beinen zu der Sesselgruppe hinüber. Er blickte nicht hinunter. Als sich der eine Mann wieder gesetzt hatte, ließ sich Essian in den vierten Sessel fallen und blickte aufmerksam von einem zum andern. Trotz ihrer offensichtlichen äußeren Unterschiede machten die Männer einen merkwürdig gleichförmigen Eindruck. Sie waren alle alt und blickten ernst und gesetzt drein. Den Mann in der Mitte erkannte Essian als Abner Sheth, den Präsidenten von Ameritec. Die letzten Pressephotos hatten ihn aber nicht auf die enormen Ausmaße seines

Kopfes vorbereitet, auf dem sich silberweiße Haare kringelten, die wie bei einem alternden Cäsar nach vorn und über die Schläfen gekämmt waren.

Sheth lächelte ihn entwaffnend an und streckte ihm seine beringte Hand entgegen. Als der Gefangene aber die zur Begrüßung entgegengestreckte Hand geflissentlich übersah, zögerte Sheth, und sein Blick glitt nach Essians Gesicht suchend umher; Essian dachte an die Löcher in den doppelläufigen Gewehren, die ihm den Tod genauso schnell und sicher bringen würden, wie sie ihn jetzt einschüchterten.

»Ich werde Ihre Intelligenz nicht dadurch beleidigen, daß ich versuche, bei Ihnen für das, was wir getan haben, Verständnis zu erwecken«, sagte Sheth. »Von Ihrer Sicht aus ist es unentschuldbar, zumindest im Augenblick.«

»Ich brauche Ihre Erlaubnis nicht, um verärgert zu sein«, erwiderte Essian. Die spärlichen Bewegungen der Männer um Sheth herum gefroren zu völliger Unbeweglichkeit.

Nur Sheth lächelte. »Kann ich Ihnen etwas zu trinken anbieten?«

Essian gab keine Antwort.

»Nun gut, denn. Kommen wir zum Geschäft. Mein Partner und dienstältester Vize-Präsident, Mr. Slayter, hat Ihnen ja bereits fünf Millionen und weitere fünf Prozent aller zukünftigen Einnahmen durch die Zeitmaschine angeboten.« Essian folgte dem kurzen Blick des Mannes auf dessen rechte Seite; versuchte herauszufinden, ob das runzlige Gesicht wohl der Schatten aus dem Keller war. »Ich biete Ihnen jetzt – auf der Stelle – zehn Millionen an«, fuhr Sheth fort, »plus zehn Prozent sowie eine Vize-Präsidentschaft bei Ameritec.«

Sheths Worte waren so verblüffend, so unglaublich, daß sie in seinem Bewußtsein widerhallten, es betäubten und verzerrten. Essian wollte fragen: *Was? Was haben Sie gesagt?* Aber er wußte, daß er Sheth richtig verstanden hatte. Leute in den Spitzenrängen der Konzerne würden jedes Opfer bringen, um das Angebot zu erhalten, daß ihm der Präsident von Ameritec soeben unterbreitet hatte. Essian blickte an der Armlehne seines Sessels vorbei auf die tief unter ihm liegende Erde, in deren Oberfläche silberne Flüsse hineingeätzt waren, die in Grün und Blau gebettet dalag. Eine Wolke trieb an seinem Stuhl vorbei. *Der Teufel aber nahm ihn mit sich auf einen unendlich hohen Berg und zeigte ihm alle Königreiche dieser Erde und deren Ruhm; und er sprach zu ihm: alles dies soll dir gehören, wenn du zu Boden fällst und mich anbetest.* Das Zitat war ungebeten aus den Schaltungen seines eidetischen Gedächtnisses aufgetaucht. Ein altes Buch; eine frühe Version des *Handbuchs der Wahren Kirche*. Sheth bot ihm die absolute Macht über den Planeten an, die er lediglich noch mit vielleicht dreißig anderen Menschen würde teilen müssen. Das war eine Ehre, die in der ganzen Geschichte der Konzerne noch niemals einem Mann oder einer Frau unter sechzig Jahren angeboten worden war. Das bedeutete, den umwandelbaren Karrierewegen der Konzerne gemäß, daß er eines Tages die Präsidentschaft von Ameritec erklommen haben würde und von dort aus zu guter Letzt den Vorsitz der Vereinten Versammlung übernehmen würde, allein dadurch, daß er die anderen überlebte. Der durchschnittliche Erdenmensch würde in einer Art Ehrfurcht vor ihm erstarren, die all die anderen Eroberer in der Geschichte zur Mittelmäßigkeit degradieren würde, wenn man sie mit ihm verglich. Aber all das hatte keinerlei Bedeutung, denn es lag ihm nichts daran. Essian dachte an Eric Winters und an Jill Selby und wußte, daß der alte Mann vor ihm einen oder vielleicht sogar die beiden Menschen, die ihm am allermeisten bedeuteten, als Waffe gegen ihm eingesetzt hatte. Und das wiederum war nun ganz und gar nicht bedeutungslos.

Essian überließ sich seinen Gefühlen, und er gewahrte Angst, aber keine Panik, Zweifel, aber nicht Unvermögen, Zorn, aber auch Selbstbeherrschung. Er würde diese Männer zu Fall bringen und tun, was er tun mußte. Irgendwie würde er sie schlagen. Er löste seinen Blick von der verwirrenden Aussicht und sah Sheth an.

»Es hat keinen Sinn«, sagte er.

»Streiten Sie doch nicht ab, daß Sie uns eine Gleichung liefern können, die die Reise in der Zeit ermöglicht. Wir wissen über jede Ihrer Tätigkeiten in den letzten Monaten Bescheid.«

Essian sagte: »Wenn Ihre Quellen auch nur das Geringste taugen würden, dann wüßten Sie, daß ich gescheitert bin.«

»Bis vor kurzem«, verbesserte ihn Sheth. »Bitte denken Sie daran, daß wir jedes Wort Ihrer Unterhaltung mit Dr. Winters mitgehört haben – aber auch jedes Wort, das Sie mit Ihrem Chef des Stabes gewechselt haben, und zwar schon kurz nachdem Sie mit dem Projekt begonnen hatten.«

Der Ärger zerrte an den kleinen Sehnen, die den beabsichtigten Ausdruck auf Essians Gesicht festhielten. *Sie hatten gehört, wie er es abgelehnt hatte, Winter's Geliebter zu werden. Irgendwelche Männer, die in einem Raum von der Größe eines Schrankes hockten, hatten das gehört und verächtlich darüber gegrinst. Sie hatten schamlos seine Qualen beobachtete, sie hatten ...* Essian zwang sich, damit aufzuhören, zwang sich dazu, die mehr unmittelbaren Verwicklungen ins Auge zu fassen. Wenn Winters selber die Wanzen installiert hatte, wenn er gewußt hatte, daß jedes Wort in Ameritec mitgehört wurde, weshalb hatte er dann seine Kritik an dem ganzen Projekt so offen geäußert? Was immer Winters auch sonst noch sein mochte, seine ablehnende Haltung Janus gegenüber war jedenfalls echt gewesen; und trotzdem hatte ihn der Mann an einen konkurrierenden Konzern verkauft.

»Ich mußte einen bestimmten Eindruck aufrechthalten«, sagte Essian.

»Erklären Sie das näher.«

»Ich weiß bereits seit ein paar Wochen, daß es nicht möglich ist, eine funktionierende Zeitmaschine zu bauen, und daß das Top-Management bei Meridian Schwierigkeiten haben würde, das zu akzeptieren. Ich habe versucht, Zeit zu gewinnen, bis ich einen Weg gefunden hätte, aus der Sache heil herauszukommen.«

»Wenn Sie wissen, daß Meridian es abgelehnt hätte, diese angebliche Tatsache zu akzeptieren, können Sie sich sicherlich denken, daß wir es auch nicht tun werden«, sagte Slayter, der so das Schweigen der Untergebenen brach und damit die Aussage von Sheth noch unterstrich.

Sheth deutete auf ihre Füße, und durch ein Loch, in der Illusion eines leeren Himmels, erschien ein Bildschirm. »Sehen Sie genau her«, sagte er. Auf dem Schirm leuchtete der Reihe nach eine Kette mathematischer Formeln auf, wobei jeder Schritt der Janus-Gleichung so lange verbessert wurde, bis er sich auf dem neuesten Stand befand. Essian zerbiß sich die Innenseiten seiner Wangen und Lippen und übertrug einen kleinen Teil des Zorns, den er auf Winters verspürte, auch auf sich selbst. Wie konnte ihn Winters nur hintergehen? Winters, sein bester Freund, sein Vertrauter, sein ... Essian unterbrach den Gedanken, bevor er ihn zu Ende denken konnte. Er hatte sich sexuell *nie* von ihm angezogen gefühlt. *Niemals. Nie*!

»Unsere Mathematiker haben uns versichert, daß die Gleichung in sich stimmig ist, und daß nur noch ein letztes Teilstückchen – eine Art Schlußstein, wenn Sie so wollen – fehlt«, sagte Seth. »Tja, und es ist Ihnen bislang nicht gelungen, auf diesen Schlußstein zu stoßen, und es ist auch unwahrscheinlich, daß Sie geistig dazu in der Lage sein werden. Das ist der Grund, weshalb Sie sich hier befinden.«

»Sie können nicht darauf stoßen, weil er nicht existiert«, entgegnete Essian. *Und für euch wird er auch nie existieren.* Sheth bewegte sich erneut, und als der Bildschirm verschwand, beugte sich der Mann zu seiner Linken nach vorne.

»Darf ich mich vorstellen. Ich bin Dr. Wittum.« Der warme, harmonische Ton seiner Stimme wurde durch die harten Augen aufgehoben. Essian vermochte keinen klaren Gedanken fassen, bis er den Augen auswich. Dann bedeutete ihm der Name wieder etwas: Justin Wittum, der Erfinder der Meningigram-Methode. Die Wahl von Wittum war Teil eines größeren Konzeptes, dem Ameritec bei der Aufstellung seiner Vize-

Präsidenten folgte. Wittum hatte es geschafft, weil er eine Maschine erfunden hatte, die den Menschen ins Gehirn schauen konnte, aber die Erfindung der Zeitmaschine würde auch diese Errungenschaft zu einem winzigen Zwerg schrumpfen lassen. *Also baten sie Paul Essian, mit ihnen zusammen, auf dem vierten Stuhl, in einem Zimmer hoch über der Welt, zu sitzen.*

»Es wäre besser, wenn Sie es uns jetzt sagen würden«, erklärte Sheth.

Als Essian nicht antwortete, sagte der Präsident von Ameritec: »Ich werde diese Gleichung bekommen, Doktor, ganz gleich, wie störrisch Sie sind. Ich verspüre allerdings nicht den Wunsch, einen Mann Ihres Kalibers leiden zu sehen.«

»Ich bin froh, das zu hören«, erwiderte Essian, »denn es gibt keine Zeitmaschine.«

»Und wenn es sie gäbe, würden Sie uns das Geheimnis nicht verraten«, fügte Slayter hinzu. »Es hat schon vor Ihnen Leute gegeben, die für sehr viel weniger, als wir Ihnen angeboten haben, vertragsbrüchig geworden sind. Was ist also los mit Ihnen?«

»Ich habe einen empfindlichen Magen«, entgegnete Essian. »Adamly war zwar kein überwältigender Gesprächspartner, aber er war immerhin der einzige Leibwächter, den ich je hatte.«

»Glauben Sie, daß sich Meridian anders verhalten würde?«

»Sie haben mir zumindest noch nicht das Gegenteil bewiesen«.

»Das mußten sie ja auch nicht. Sie hatten alle Trümpfe in der Hand; nebenbei haben wir auch versucht, Sie zu überzeugen.«

»Irgendwie muß ich gespürt haben, daß das eine reine Formalität war. Vielleicht war es der Blaster in meinem Rücken.«

»Genug«, schnappte Sheth. »Dr. Essian, wenn Sie bitte Dr. Wittum begleiten würden, dann könnten wir herausfinden, ob es tatsächlich eine Gleichung gibt oder nicht.« Die drei älteren Männer erhoben sich, und Essian zögerte, folgte ihnen dann aber, als die beiden Wachen, die während der Unterhaltung zur Seite getreten waren, einen Schritt vortraten. Sie gingen unter den riesigen Flügeltüren durch, die scheinbar allein am Rand eines überwältigend hohen Tafelberges standen. Angewidert von der Großartigkeit dieser Männer, trat Essian gespannt durch die Türen in die vertraute Normalität des mit Teppichboden ausgelegten Foyers.

Der Kellerraum, in dem die Meningigram-Untersuchungen stattfanden, war der übliche abgedunkelte zylindrische Raum, gleich dem, in dem Essain vor nur wenigen Wochen bei Meridian gesessen hatte. Als Wittum ihm die Binde über die Augen streifte, schien sich der Schmerz, der während des langen Tauchvorgangs durch das Innere von Ameritec III in seinem Magen entstanden war, über den ganzen Körper auszubereiten und dann zu verschwinden, so als habe sich ein Teil von ihm vom Körper gelöst. Was zurückblieb, war von Furcht unberührt: ein reiner, eisiger Haß, der alle widerstreitenden Gefühle eingefroren hatte, bevor sie Zeit hatten, sich zu entwickeln.

Essian spürte kaum die spinnenhafte Berührung der Drähte auf den Augenlidern; hörte kaum Wittums Stimme, die im Hintergrund dröhnte, während die Ranken der Maschine sich ihren Weg durch die Nervenbahnen zu tasten suchten. Nach nicht allzu langer Zeit wurden ihm die Augenklappen entfernt, und Essian blinzelte in dem halbdunklen Raum die drei alten Männer an, die ihn anstarrten, als sähen sie ihn das erste Mal.

»Erstaunlich«, murmelte Wittum. »Einfach erstaunlich. Bei dieser Intensität hätten wir ihm bis ins Innerste sehen müssen, aber nichts, überhaupt nichts!«

Eine Welle der Kraft floß durch Essians Körper; er mußte sich beherrschen, um nicht aufzuspringen und ihnen mitten ins Gesicht zu lachen. Vor Wochen hatte Golding niedrig dosierte Untersuchung ihn entblößt, aber heute nacht hatte er dem vollen Ansturm von Wittums Maschine getrotzt. *Sie hatten versucht, ihn zu zerbrechen, aber er war zu stark. Stärker als sie. Stärker als irgend jemand!*

Sheth sah ernst und sorgenvoll aus, fast väterlich. »Dr. Essian, ich hatte gehofft, daß dies hier nicht nötig sein würde, aber Sie lassen uns keine andere Wahl. Es scheint, daß Sie Ihr Gehirn abblocken können, aber wir haben immer noch Ihren Körper.« Als Essian nicht antwortete, winkte er den beiden Wachen. Von den drei älteren Männern gefolgt, führten die Wachen Essian durch einen kurvenreichen Kellerflur bis zu einer einzelnen Tür. Sheth trat davor, öffnete die Tür durch seinen Handabdruck, und Essian blieb am Rahmen Halt suchend wie angewurzelt stehen. In der Mitte des Zimmers saß Jill Selby auf einem mit elektrischen Drähten versehenen Stuhl, dessen Kraftfeld sie in einer starren Position fesselte.

XII

Jill kämpfte gegen den Kraftschirm an, bewegte den Kopf wenige Zentimeter in Essians Richtung und lächelte schwach. Sie trug einen schwarzen Jumpsuit, den man ihr in der Mitte der Oberschenkel aufgeschlitzt hatte, so daß ihre bloße Haut gegen das Metallgitter des Sitzes gepreßt wurde. Die zerfetzte Kleidung an ihrer Seite wies darauf hin, daß sie auch den Rücken aufgeschlitzt hatten. Bevor Essian überhaupt Jills Lage vollkommen verstanden hatte, spürte er bereits die Erleichterung. Wenn man sie hier gefangen hielt, dann konnte sie unmöglich eine Spionin sein, so wie Winters es vermutet hatte. Seine gehobene Stimmung gerann, als ihm das Aufgebot der elektrischen Kabel über die bloße visuelle Wahrnehmung hinweg bewußt wurde. Sie wollten ihr wehtun – schrecklich wehtun. Dann kam ihm der Gedanke, daß Jill Selby noch immer eine bestimmte Rolle spielen konnte – daß sie an einem sorgfältig ausgearbeiteten Schlachtplan mitarbeiten konnte.

Essian trat in den Raum und konnte den Blick nicht von ihr wenden, selbst als der Verdacht, den er hegte, seine emotionalen Barrieren zu überwinden drohte. Auch wenn sie, genau wie Winters, mit Ameritec gemeinsame Sache machte, so würde Sheth doch nicht unbedingt wissen, daß er diesen Verdacht hegte – es sei denn, sie hatten auch die letzten Sekunden seines Gesprächs mit Winters aufgezeichnet. Aber selbst dann hätten sie gehört, wie er Winters Beschuldigungen zurückgewiesen hatte. Nebenbei, Winters hatte die Wanzen bestimmt abgeschaltet, bevor er Jill als mögliche Mit-Verschwörerin entlarvte. Anders hätte er mit Sicherheit Vergeltungsmaßnahmen seiner Herren von Ameritec heraufbeschworen. Vielleicht war der Überfall auf Winters' Wohnung aber auch in dem Augenblick, als die Übertragung endete, von einem in der Nähe postierten Lauscher organisiert worden. Alles Mutmaßungen; unbewiesene Verdächtigungen, aber dennoch, sie konnte ein falsches Spiel betreiben, konnte seine Gefühle für sie gegen ihn verwenden. Endlich wandte sich Essian von ihr ab.

»Bitte sagen Sie uns, was Sie wissen«, bat ihn Sheth. »Ich möchte das hier wirklich nicht tun.«

»Ich weiß den Schluß noch nicht«, Essians Stimme war kaum zu hören.

Slayter stieß ein ungläubiges Grunzen aus.

»Sie haben doch noch heute ihrem Projektausschuß mitgeteilt, daß Sie die ganze Gleichung in den Grundlagen erstellt haben; Sie haben ihnen gesagt, daß die Produktion in zwei Wochen anlaufen kann.«

»Ich habe das gesagt, um Zeit zu gewinnen.«

»Zumindest geben Sie jetzt zu, daß die Gleichung alles andere als ein Reinfall ist – daß Sie tatsächlich *wissen*, daß sie funktionieren wird«, sagte Wittum.

»Er hat die Gleichung bereits gelöst. Ich bin mir ganz sicher, daß . . .«

Sheth bedeutete den anderen beiden zu schweigen, ging zur Kontrolltafel an der Wand und legte seine Hand auf einen Regelwiderstand. Einander widersprechende Befehle schossen durch Essians zur Bewegungslosigkeit erstarrte Arme und Beine, als das Kleinhirn versuchte, die Fesseln des Willens abzuschütteln.

»Los, sagen Sie's«, befahl Sheth.

»Tu's nicht, Paul«, sagte Jill endlich mit verzerrter Stimme, die rauh vor Anstrengung war. »Das ist nur schlechtes Theater.«

Essian starrte sie an. *Wollte sie ihm auf diese seltsame Weise zu verstehen geben, daß das Ganze ein abgekartetes Spiel war?* Sheth drehte am Knopf, Jill verkrampfte sich und stemmte sich gegen das Kraftfeld. Ihre Augen wurden riesengroß, während das Gesicht dunkelrot anlief, und ein fürchterlicher Laut brach tief aus ihrer Kehle hervor. Essian erstarrte unter ihrem Schmerz, den er mitempfand; jetzt wußte er, daß es ihnen ernst war. Als er sich auf Sheth stürzen wollte, hatten ihn die beiden Leibwächter augenblicklich gepackt und rangen ihn fast behutsam zu Boden, während von irgendwoher Wittums Stimme rief: »Vorsicht! Daß ihr ihn nicht verletzt.«

Als man ihn an Armen und Beinen festhielt, wehrte sich Essian noch einen Augenblick lang wie besessen, gab aber auf, als er Jills Stimme hörte.

»Ist schon gut«, keuchte sie.

Er durfte aufstehen, aber sie hielten ihn auch weiterhin fest an den Armen, und er sah, daß Sheth den Strom abgeschaltet hatte. Jill war auf dem Stuhl zusammengesunken, und auf ihrem Gesicht schimmerte der Schweiß. In diesem Augenblick wußte Essian, daß er fähig war, einen Menschen zu töten, und daß er es auch tun würde, wenn er die Möglichkeit bekam. Aber er würde sie eben nicht bekommen. Sollte er Ameritec den Rest der Gleichung geben, würde Sheth ihn töten müssen, denn er würde niemals etwas anderes sein als dessen Feind. Und trotzdem wußte Essian, daß er darin einwilligen mußte, denn wenn er es nicht tat, würden sie den Strom solange verstärken, bis Jill daran starb, ob sie das nun wollten oder nicht. Er konnte nicht zulassen, daß sie sie umbrachten; er konnte nicht einmal mehr zulassen, daß man ihr wehtat. Die Anziehung, die sie auf ihn ausübte, entzog sich der Vernunft und widersetzte sich jeder Analyse; er hatte jene unbekannte Angst in sich hinter die alten Mauern zurückgetrieben. Der Umstand dieser seltsamen Anziehungskraft überwog alles andere. Wer und was auch immer sie war, seine Gefühle für Jill würden sich nicht ändern.

»Den Rest der Gleichung«, sagte Sheth, als ob er seine Gedanken gelesen hätte. »Wir wollen es hinter uns bringen.«

»Habe ich Ihr Wort, daß sie frei ist – daß Sie sich nie wieder in irgendeiner Form an ihr vergreifen werden?«

»Das kann ich nicht«, sagte Sheth, »aber ich verspreche Ihnen, daß sie am Leben bleiben und so viel Freiheiten genießen wird, wie ich verantworten kann. Ich bezweifle nämlich nicht, daß Sie ihr den größten Teil der Gleichung erzählt haben.«

Diese Antwort befriedigte Essian mehr, als es eine schnelle Zustimmung getan hätte, bis er sich daran erinnerte, daß er hier um eine Ware feilschte, die er noch gar nicht besaß.

»In Ordnung«, sagte er.

»Paul, tu's nicht«, rief Jill.

»Aber ich werde etwas Zeit brauchen«, sagte Essian.

Slayter kam ärgerlich auf ihn zu. »Was soll das?«

»Als ich Ihnen sagte, daß ich sie noch nicht zu Ende entwickelt hätte, war das die Wahrheit. Aber ich werde sie schnell lösen können, da bin ich mir ganz sicher.«

»Das ist ein Ablenkungsmanöver«, sagte Slayter. »Er glaubt, er kann uns narren und solange hinhalten, bis man kommt und ihn hier raushaut.«

»Das Argument meines Partners ist nicht von der Hand zu weisen«, meinte Sheth. »Ich bin überzeugt, daß Sie sich bewußt sind, daß Meridian in dem Augenblick, wo man Ihr Verschwinden feststellt, eine massive Gegenaktion starten wird. Ihr Sicherheitschef Roshoff ist ein hervorragender Mann. Ich fange an, mir zu wünschen, daß wir ihn vor vier Jahren angeworben hätten, als sein Vertrag auslief.«

»Ich sage die Wahrheit«, beteuerte Essian.

»Vielleicht sollten wir der Frau noch einen kleinen Stromstoß verpassen«, schlug Slayter vor.

Essian drehte sich zu ihm um. »Sie heißt Jill Selby, Sie verdammter, stinkender Scheißhaufen . . .« Es gelang ihm, sich etwas zu beherrschen. »Und wenn Sie sie direkt umbringen, ich könnte Ihnen die Gleichung trotzdem nicht geben. Sie hätten nur Ihre Zeit verschwendet – Zeit, in der ich darüber nachdenken könnte, wie die Gleichung zu lösen ist, anstatt mir zu überlegen, wie ich Ihnen am besten den Hals umdrehe.«

»Schon gut, schon gut«, sagte Slayter besänftigend.

»Sie haben eine Stunde Zeit«, bemerkte Sheth. Er machte eine Handbewegung, und die beiden Wachen drückten Essian in einen zweiten Kraftfeldstuhl, der an der anderen Seite des

Raumes dem von Jill genau gegenüberstand. Wittum ging hinaus, war aber sehr schnell wieder mit einer kleinen Notiztafel zurück, die er Essian in die Hand drückte. Slayter setzte das Kraftfeld des Stuhles in Betrieb und stellte es so ein, daß Essian die Tafel auf seinem Schoß bedienen, aber weder aufstehen noch auf den Boden gleiten konnte.

»Draußen vor der Tür wird jemand Wache stehen, so daß Sie nicht gestört werden«, sagte der Vize-Präsident trocken. Die fünf Männer verließen den Raum, schlossen die Tür hinter sich, und Essian blickte zu Jill hinüber.

»Bist du in Ordnung?«

Soweit es der Stuhl zuließ, zuckte sie die Schultern. »Ich bin froh, daß du sie zum Narren gehalten hast.«

»Aber das habe ich nicht.«

»Du wirst ihnen doch wohl nicht etwa die Gleichung aushändigen?!«

»Falls ich sie beenden kann.«

Sie schüttelte den Kopf, wollte gar nicht mehr damit aufhören, und Essian erkannte, daß sie kurz davor war, hysterisch zu werden. »Es werden viele Menschen sterben müssen«, sagte sie. »Anfangen wird es mit den Leuten von Meridian, die auch nur einen Bruchteil über die Gleichung wissen.«

»Du aber nicht, und das ist alles, was für mich zählt.«

»Paul, solch eine Entscheidung darfst du nicht treffen.«

»Erzähl das Sheth.«

»Du hast kein Recht dazu, solchen Leuten die Maschine auszuhändigen. Eher sterbe ich. Sie werden mich sowieso umbringen.«

»Ich glaube, daß Sheth Wort halten wird.«

»Wenn du sie auflaufen läßt, dann wird dich Meridian finden, und Ameritec wird niemals das Huhn, das goldene Eier legt, . . .«

»Bis Meridian anfängt hier einzudringen«, beendete Essian den Satz für sie. *Weshalb nur hatte er das Gefühl, daß sie ihn einem Test unterzog, daß sie ihn mit den ständig wiederholten Einwänden auf die Probe stellte?* Es war unwichtig. Da gab es noch etwas, was er ihr sagen mußte. »Jill, ich glaube, ich liebe dich, obwohl ich nicht so ganz genau weiß, was das heißt, deshalb will ich dir nur sagen , daß ich es nicht zulassen werden, daß Sheth noch einmal den Hebel hinter dir berührt. Nenn es wie du willst. Vielleicht kommt Selbstsucht der ganzen Sache am nächsten.«

»Damit hast du verdammt recht. Es ist dir lieber, ich lebe, damit ich darunter leiden kann, dich verloren zu haben. Diese Art von Liebe will ich nicht . . .«

»Halt den Mund. Sei sofort still, ja.« Essians Stimme klang freundlich. Einen Augenblick später blickte er auf die Notiztafel hinunter und blinzelte so lange, bis er den Schirm nicht mehr verschwommen sah. Die Minuten verstrichen, während er sich zu beruhigen suchte. Die emotionale Qual ebbte allmählich ab und machte Verwirrung Platz, einem dumpfen Schmerz tief in der Kehle. Er nährte das winzige Körnchen Konzentration, bis er zu wachsen begann und alles andere überschattete. Während die Gleichung in seinem Gehirn langsam Gestalt annahm, starrte er auf die Tafel, aber seine Finger wollten die Tasten nicht berühren. Das Gerät sendete zweifelsfrei an eine andere Tafel in der Nähe, die von Sheth und seinen Experten beobachtet wurde. Falls er die Gleichung *wirklich* lösen konnte, bestand doch kein Grund, die letzte Formel vor dem allerletzten Moment preiszugeben.

Jill saß schweigend da, und Essian achtete nicht auf den Schweiß, der sich auf seiner Stirn sammelte, die Nase hinunterlief, um die Bögen seiner Nasenflügel rann und sich dann in den Kurven seiner Mundwinkel sammelte. Als er sie endlich gefunden hatte, erschien ihm diese endgültige Lösung so offensichtlich und einfach zu sein, daß er nicht begreifen konnte, warum er nicht schon vor Wochen auf sie gestoßen war. Er sagte kein Wort, schaute nur von der leeren Notiztafel hoch und fand Jills Augen, die ihn beobachteten. Sie öffnete den Mund, er schüttelte warnend den Kopf, behielt den bittersüßen Triumph noch einen Augenblick länger für sich. Sie würde zumindest eine Sache kaufen können, die Freiheit von den wichtigsten und persönlichsten Schreckensvorstellungen, die die Maschine in den Händen von Ameritec entfesseln würde. Und das hatte er sich auch redlich verdient.

Draußen vor der Tür war ein Geräusch zu hören, das andeutete, daß Sheth und die anderen bereits zurückkamen. Dann herrschte fast eine Minute lang Schweigen, und Essian verstand, daß irgend etwas für den Mann von Ameritec schiefgegangen war. Bevor er noch ahnte, was das zu bedeuten hätte, glitt die Tür auf.

Der Mann, wenn es überhaupt ein Mann war, der über die Schwelle trat, war allein. Er hatte eine groteske Gummimaske, die den Kopf eines Trolls darstellte, übergestülpt – wie Kinder sie zur Fastnacht tragen – und trug einen ausgebeulten Jumpsuit von der grauen Farbe, die für die Sicherheitskräfte von Ameritec typisch war. Er legte einen Finger an die dicken Lippen der Gummimaske, eilte erst zu Essian, dann zu Jill und befreite beide von ihren Fesseln. Ohne auch jetzt nur ein Wort zu sprechen, führte die Gestalt sie eilends aus dem Zimmer. Die beiden Wachen lagen ausgestreckt vor der Tür, der Kopf des einen ruhte auf dem Stiefel des anderen wie auf einem Kissen. Essian und Jill folgten ihm willenlos auf Zehenspitzen über ein kurzes Stück des Kellerkorridors, bevor sie der Troll in eine abzweigende Halle hineinwinkte. Aus der Richtung und der leichten Aufwärtsneigung schloß Essian, daß der Weg zu einem Tor an der äußersten Grenze des Städteturmes führen mußte. Ein Schrei, der hinter ihnen aufgeklungen war, wurde vom Echo verwirrend hin- und hergeworfen, das Licht erlosch und tauchte die drei in Dunkelheit. Fast sofort hielt ihr Retter einen Strahler in der Hand, der den Gang vor ihnen erleuchtete.

»Schnell«, stieß der Troll hervor, der Befehl wurde aber so tonlos hervorgestoßen, daß die Stimme völlig unpersönlich blieb. So schnell sie konnten, liefen sie weiter, und ihre Schritte hallten auf dem Betonboden. Als die Verfolger den Eingang des Tunnels erreicht hatten, waren ihre Stimmen mit stechender Deutlichkeit zu hören. Jill schrie auf und taumelte gegen Essian, als die Schockwelle sie beide traf und in die Knie zwang.

»Stunner«, murmelte Essian wütend, während er sich mühsam aufrichtete und sie nach sich zog. »Aber die Entfernung ist zu groß.«

Er wurde von einer Hand beiseitegeschoben, und in der Luft knisterte es, als ein Strahl aus dem Blaster an ihm vorbeizuckte und den Gang hinunterschoß. Vom anderen Ende war ein Aufschrei zu vernehmen, und dann drang Essian der stechende Geruch von Ozon in der Nase. Der Troll richtete die Lampe auf den Ausgang, der nur noch wenige Schritte weit entfernt lag, schaltete dann das Licht aus und versuchte die Luke tastend zu öffnen, als sie eine weitere Schockwelle nach vorne stolpern ließ. Dann standen sie auf einmal draußen in der kühlen Nachtluft. Die Tür fiel mit einem klingenden Laut ins Schloß, und der Troll richtete seinen Blaster solange auf die Stahlschwelle, bis diese glutrote Blasen warf und sich wie schmelzendes Wachs verflüssigte.

Sie sprinteten über einen vom Mondlicht erleuchteten Rasenstreifen, der kein Ende nehmen wollte, aber endlich tauchten sie stolpernd am bewaldeteten Rand des Parklandes unter. Dort blieb der Troll stehen, räumte das Unterholz zur Seite und zerrte zwei Rucksäcke hervor. Einen warf er Jill zu, den anderen Essian.

»Gut, und was jetzt?« fragte Essian, als er endlich wieder zu Atem gekommen war. Statt einer Antwort deutete die Gestalt auf ein Stück Papier, das an Essians Rucksack befestigt war und blaß im Mondlicht schimmerte. Er übergab Essian sowohl Lampe als auch Blaster und deutete mehrfach in die Richtung, die tiefer in den Wald hineinführte.

»Warte!« rief Jill

Aber die groteske Figur schüttelte nur den Kopf und war dann auch schon fort, rannte in die genau entgegengesetzte Richtung, in die sie gedeutet hatte. In naher Enfernung, wenige hundert Meter hinter ihnen, hörte man Stahl gegen Stahl klingen, als sich ein unbeschädigter Eingang im Fundament des Städteturmes öffnete. Irgend jemand brüllte einen Befehl, und dann konnte man das Brummen eines Hubschraubers hören, das weit entfernt begann und dann ständig lauter wurde. Lichtbündel tanzten kreuz und quer durch das Randgebüsch des Waldes.

»Laß uns gehen«, sagte Essian.

XIII

Essian und Jill kauerten sich unter einer Blautanne zusammen, und während ein Suchhelikopter fünfzig Meter über ihnen schwebte und dann in Richtung Westen abschwenkte, drang ihnen die feuchte Kälte des Waldbodens durch die Kleider. Das Dröhnen der Propeller hämmerte jegliche Überlegung aus Essians Gehirn und hinterließ nichts als einen Haufen Zellen, die der Instinkt fest im Griff hatte. Als der Strahl des Suchscheinwerfers über ihr Versteck huschte, preßte sich Jill fest an ihn, und er ergriff ihre Hände. Der Hubschrauber schwebte über ihnen, Licht floß durch das Blätterdach und sprenkelte den Teppich toter Nadeln und abgestorbener Borke um sie herum. Fast konnte Essian die Kraft der unsichtbaren Augen spüren, die seinen Rücken absuchten, die nach einem bestimmten Schatten Ausschau hielten und die leiseste Bewegung sehen würden. Er zwang sich die kalte Luft zu atmen, die schwer war von dem Stahl- und Ölgeruch der Maschine ihrer Jäger.

Der Hubschrauber schwebte davon. Essian wartete, bis das Geräusch kaum noch zu hören war und ihr Versteck nur noch vom Mondlicht erleuchtet wurde, bevor er sich herumrollte und Jill ins Gesicht sah.

»Sieh dir mal den Rucksack an«, flüsterte er, während er den Zettel von seinem eigenen abmachte und ihn im abgeschirmten Schein der Taschenlampe, die ihnen der Troll dagelassen hatte, las; Jill kramte derweil in ihrem Rucksack.

Einen Augenblick später sagte sie. »Hier ist ein Thermo-Jumpsuit. Sieht aus, als ob er die Tarnfarbe vom Wald hätte.«

»Zieh ihn an.«

Da sie sich noch immer unter dem Baum versteckt hielten, mußte sie mühsam in den Anzug schlüpfen. »Was steht auf dem Zettel?« fragte sie, während sie den Anzug vorn, dicht am Hals, verschloß.

»Nicht viel. Nur: Meridian Alpha befindet sich fünfzig Meilen in Richtung Osten. Benutzen Sie den Kompaß. Der Lebensmittelvorrat reicht für drei Tage. Nehmen Sie sich vor den Wärmesuchern in Acht. Viel Glück«, las Essian vor.

»Ein wortkarger Bursche.«

Essian nickte. »Die Notiz ist auf einer Schreibmaschine getippt worden.«

»So?«

»Das hat wahrscheinlich gar nichts zu bedeuten. Vielleicht wollte er – oder sie – nicht, daß wir die Handschrift kennen.«

»Das würde auch die Maske erklären,« stimmte Jill zu.

»Und auch, daß unser Freund, der Troll, nie richtig gesprochen hat.«

»Vielleicht ist er eine einflußreiche Persönlichkeit in Ameritec und wußte genau, daß er ein toter Mann ist, wenn die anderen je herausfinden, daß er uns geholfen hat«, vermutete Jill. »Wenn sie uns wieder erwischen, könnten sie uns untersuchen und auf Band aufgenommene Stimmen vorspielen, solange bis die Nadeln ausschlagen. Aber da unser Freund kein Wort sprach und sein Gesicht nicht zeigte, ist er selbst davor sicher.«

»Nun, es muß jedenfalls jemand gewesen sein, der genau wußte, daß man uns gefangen hatte, wo wir uns befanden und wie er uns rausbringen konnte«, überlegte Essian laut. »Vielleicht hat Meridian auch seine Spione in Ameritec.«

Der Lärm des Suchkommandos hatte sich entfernt. Essian versicherte sich, daß niemand in Hörweite durch das Unterholz schlich und leuchtete dann in seinen eigenen Rucksack, in dem sich ebenfalls ein superleichter, Thermo-Jumpsuit in Tarnfarbe – so wie Jills – befand, sowie Päckchen mit dehydrierter Nahrung, ein Zwei-Liter-Kanister mit Wasser, ein Kompaß, eine Landkarte, ein paar Geldscheine und noch ein Blaster. Essian wunderte sich über das Geld und gab Jill den Blaster, die ihn mit spitzen Fingern anfaßte, als ob er ein totes Tier sei. Er kroch unter dem Baum hervor, schlüpfte in den

Jumpsuit und schulterte den Rucksack.

»Wir müssen noch vor der Dämmerung so weit wie möglich weg sein«, sagte er. »Wir werden ein Stück nach Süden gehen, um sie von unserer Spur abzulenken.«

»Wie schade, daß unser Wohltäter nicht noch einen hübschen Luftzweisitzer für uns entwenden konnte.«

Essian schüttelte den Kopf. »In dem Augenblick, in dem wir uns über die Baumwipfel erheben würden, hätten sie uns auch schon.«

»Na, dann zumindest ein Walkie-Talkie, damit wir Meridian Alpha anfunken könnten, um ihnen zu sagen, daß sie die Truppen in Bewegung setzen sollen.«

»Auf keinen Fall. Sie würden unser Signal hören und hätten uns wieder eingesackt, bevor Roshoffs Leute auch nur durch die Tür waren. Es zu Fuß zu versuchen ist unsere einzige Chance.«

Sie kamen quälend langsam durch den Wald voran. Schlingpflanzen wickelten sich um ihre Füße, und die tief hängenden Zweige peitschten ihnen bei fast jedem Schritt ins Gesicht, bis ihnen die Augen schon in Erwartung des nächsten Schlages tränten. Sie kämpften sich vorwärts, bis ihnen die Riemen der Rucksäcke in die Schultern schnitten, sie Blasen an den Füßen hatten und die Knöchel, bei jedem unerwarteten Stoß gegen einen Stock oder einen Stein, schier unerträglich schmerzten. Die Vordernähte ihrer Jumpsuits öffneten sich zentimeterweise, als der Schweiß, der sich unter den dichten Anzügen entwickelte und nicht entweichen konnte, ihre Körper bedeckte. Dreimal schwebten irgendwelche Hubschrauber dicht über sie hinweg, und zweimal hasteten sie in ein Versteck, als nahe Stimmen zu hören waren und das Licht von Taschenlampen durch die Bäume geisterte.

»Sie folgen blindlings unserer Fährte und verwirren sich dabei nur selbst«, flüsterte Essian das zweite Mal, als er dicht neben Jill in einem ehemaligen Bachbett lag. »Wenn das hier eine alte, zweidimensionale Rückschau aus den Zeiten des

Fernsehens wäre, dann hätten sie Bluthunde auf uns angesetzt und wir wären verloren.«

Jill schauderte. »Was für eine Bezeichnung – Bluthunde.«

»Mach dir darum keine Sorgen. Heutzutage, wo fast jeder in Städtetürmen lebt, halten sich nur noch ein paar Sonderlinge in der Wildnis Hunde. Selbst wenn sie daran denken sollten, würde es Ameritec einige Schwierigkeiten bereiten abgerichtete Hunde aufzutreiben und sie dann auch noch rechtzeitig hierherzuschaffen.

»Weshalb hast denn du daran gedacht?«

»Ich hab mal in einem Geschichtsbuch etwas darüber gelesen.«

»Und natürlich nie vergessen. Das Dumme ist bloß: Wer braucht denn heutzutage noch Bluthunde, wo es doch Wärmesucher gibt.«

Essian nickte und spielte mit der feuchten Erde unter ihm, während eine Idee Gestalt gewann. Als sich die Verfolger entfernt hatten, breitete er die Landkarte aus und richtete die abgeblendete Taschenlampe solange darauf, bis er gefunden hatte, was er suchte. Sie machten sich wieder auf den Weg, und als das erste Tageslicht durch die Zweige brach, hatten sie den Bach gefunden. Er schlängelte sich durch den Wald, wie er es seit ewigen Zeiten getan hatte – jedenfalls lang genug, damit das felsige Ufer zu einer hüfthohen Rinne ausgefressen worden war. Als sie näherkamen, sprang etwas am Ufer auf und war augenblicklich verschwunden, so daß sie nur einen kurzen Blick auf braune Läufe und einen weißen Stummelschwanz erhaschen konnten. Essian und Jill hüpften hoch und lehnten sich dann vor Erleichterung lachend aneinander.

»Ich glaube, man nennt das im allgemeinen ein Reh«, sagte Essian. Er stolperte das Ufer hinunter, schlüpfte aus dem Rucksack und fing an, den Wasserkanister wieder aufzufüllen. Jill löste ihre eigene Flasche und tauchte sie in das ungefähr kniehohe eisige Wasser und sah den Luftbläschen zu, die mit der Strömung sprudelnd flußabwärts schossen.

Plötzlich packte sie Essian hart am Handgelenk. Sie schaute ihn fragend an, aber er nahm es gar nicht wahr, sondern legte den Kopf schief, um besser hören zu können. Der Laut war noch fast jenseits des Hörvermögens, war wie das Summen einer Mücke, das über dem Plätschern des Baches kaum zu vernehmen war. Essian schloß den Wärmeanzug bis an den Hals, legte sich rücklings in das kalte Wasser und bedeutete Jill, dasselbe zu tun. Als sie zögerte, setzte er sich wieder auf und stieß sie hinein, bis sie fast völlig untergetaucht war, nur noch ihr dunkles Haar in der Stömung trieb und alles andere verhüllte bis auf Nase und Kinn, die über der Wasseroberfläche blieben. Essian erstickte ein Stöhnen, als ihm das eisige Wasser in Hals und Ohren biß. Er hielt Stirn und Nase über der Wasseroberfläche und beobachtete das rechte Ufer. Die Hals-, Arm- und Fußmanschetten des Wärmeanzugs bliesen sich durch den plötzlichen Temperaturabfall automatisch auf und hielten das Wasser vom Körper fern, aber Gesicht und Hände schmerzten erst und wurden dann taub. Als sich ihm bereits ein Schleier über die Augen legte, tauchte der Wärmesucher, der aussah wie eine riesige Drohne, über dem Rand des Ufers auf und schwebte über ihnen. Der Ring wimpernähnlicher Fäden in der zuckerhutförmigen Nase wirbelte in der maschinellen Entsprechung von Unentschlossenheit. Essian hielt die Luft an und hoffte, daß auch Jill daran denken würde, denn der Wärmesucher war in der Lage, einen Hauch körpererwärmtes Kohlendioxid zu orten, besonders gegen den eisigen Untergrund des Baches.

Der Sucher hüpfte über ihnen wie eine riesige stählerne Wespe hin und her. Dann aber, als schon die tanzenden schwarzen Flecken der Bewußtlosigkeit Essians Wahrnehmung zu trüben begannen, entfernte sich die Drohne in die Richtung, in die auch das Reh vor wenigen Minuten geflüchtet war. Essian stieß die angehaltene Luft explosionsartig unter Wasser aus, sog dann gierig die frische Luft in seine schmerzenden Lungen und atmete erneut unter Wasser aus. Er zwang sich dazu, diese Methode noch eine volle Minute lang fortzusetzen, bevor er sich aufrichtete und Jill auf die Schulter tippte. Im Wald herrschte Stille, und das Summen des Wärmesuchers war nicht mehr zu hören. Jill preßte die Hände auf die Ohren, und Essian riß den vorderen Reißverschluß auf, um seine Hände in den warmen Achselhöhlen zu vergraben. Wenige Minuten später machte er sich schon wieder auf den Weg, immer nah am Bach, und Jill folgte ihm wortlos.

*

Da sie den Drei-Tage-Vorrat rationierten, reichte er für fünf. Zum Schluß fühlten sie ständig einen nagenden Hunger. Während dieser fünf Tage tauchten sie vierzehnmal im Bach unter, während die Wärmesucher über ihnen herumkurvten. Dreimal waren in der Nacht in der Nähe Stimmen zu hören gewesen. Derjenige von ihnen, der gerade Wache hielt, zerrte dann den anderen mit in den Fluß, wo er durch den Schock vollends aufwachte. Siebenmal war es innerhalb der letzten vierundzwanzig Stunden passiert, und Essian wußte, daß die jetzt so häufig zu hörenden Geräusche des Suchkommandos früher oder später mit ihrer Entdeckung enden würden. Aber der Gedanke hieran machte ihm nicht so zu schaffen wie der Schmerz in Waden und Knöcheln, wie das mühsame Atmen, als sie am Ufer des Baches entlang taumelten, oder das fast überwältigende Verlangen seines Körpers nach Ruhe. Kilometer um Kilometer torkelte Jill mit stumpfem Blick hinter ihm her. Jegliche Unterhaltung war schon vor Tagen erstorben, und keiner von ihnen hatte noch die Energie, sich zu beklagen. Sie konnten nur endlos einen Fuß vor den anderen setzen. Essian begann erst zu phantasieren und sich dann nach der Gefangennahme zu sehnen. Die Zeitmaschine würde nur ein kleiner Preis sein, für ein heißes Bad, ein warmes Mahl und eine letzte Nacht in einem warmen Bett. Sheth würde ihm das sicherlich gewähren.

Endlich kamen sie zu der Stelle, wo sich der Fluß durch eine Lichtung nach Süden schlängelte. Auf der anderen Seite der Lichtung befand sich ein altes Holzhaus, eine Wendemarke, die der Troll auf der Landkarte eingekreist hatte. Essian und Jill fielen neben dem Flüßchen nieder und starrten auf das Haus.

»Wir müssen uns jetzt vom Bach entfernen. Es sind noch zehn Kilometer bis nach Haus. Genau nach Osten.«

Durch das lange Schweigen klang Essians Stimme undeutlich und verschwommen.

Jill stieß einen Seufzer aus.

Essian zog den Blaster aus dem Rucksack und überprüfte die Ladung, obwohl er das immer und immer wieder getan hatte. Auch Jill kramte ihr Waffe hervor und legte sie neben sich ins Gras. »Können wir uns erst ein bißchen ausruhen?«

Essian schaute über die Lichtung. Die Sonne stand hinter ihnen, nur noch wenig über dem westlichen Horizont. Das Blau des Himmels vertiefte sich bereits, und auch die Vögel waren schon von den Wiesen aufgeflogen und hatte sich unter dem Dachvorsprung des alten Hauses versammelt.

»Wir können uns etwas ausruhen«, stimmte er zu. »Es wird bald dunkel sein. Ist schwieriger für die, aber auch für uns.«

»Sie werden uns finden, nicht wahr? Sobald wir den Fluß verlassen haben, erwischt uns eine von diesen Wärmesucher-Drohnen.«

»Wir haben die hier«, sagte Essian und hob den Blaster hoch. »Wenn sie auf uns herabstoßen, können wir auf sie feuern. In Meridian Alpha werden sie die Strahlen sehen und uns rechtzeitig erreichen.«

»Das glaubst du doch selber nicht.« Aber als sie in sein Gesicht blickte, murmelte sie: »Tut mir leid.« Sie sah auf ihren eigenen Blaster. »Wenn es soweit ist, dann bin ich mir nicht sicher, ob ich das Ding auch benutzen kann.«

»Es gibt keine Möglichkeit, es herauszufinden, bevor es geschieht«, sagte Essian. »Versuch nicht daran zu denken.«

Schweigend warteten sie bis es dunkel wurde; Jill stand als

erste auf und reichte ihm mit einem kleinen Lächeln die Hand. Statt dessen zog Essian sie zu sich herunter, und ihre trockenen, leidenschaftslosen Lippen berührten sich. Dann schob er sie freundlich von sich. Sie traten auf die Lichtung und bewegten sich in östliche Richtung, liefen auf ihren wunden Füßen so schnell sie konnten. Der Wald wurde allmählich lichter und machte dem kultivierteren Wald mit seinen Schneisen, der das Parkland von Meridian Alpha umgab, Platz. Essian verspürte eine grimmige Befriedigung. Zumindest brauchten sie so nah am Städteturm nicht mehr eine Verfolgung aus der Luft zu fürchten. Und die Phalanx der Verfolger, die zu Fuß unterwegs war, mußte fast so erschöpft sein wie sie selbst. Sie hasteten vorwärts, und Essians Augen waren schon bald von der Anstrengung, einen Blick von Meridian Alpha zu erhaschen, ermüdet; es befanden sich noch immer zu viele niedrige Hügel und Bäume dazwischen. Sie waren schon fast eine halbe Stunde wieder unterwegs und hatten den Städteturm noch immer nicht erspähen können, als sie das Geräusch, das Essian so gefürchtet hatte, in der Dunkelheit hinter ihrem Rücken hören konnten. Der Wärmesucher schoß auf sie herunter, bis er genau hinter ihnen schwebte. Essian verharrte lange genug, um ihn zu Schlacke zusammenzustrahlen, obwohl er wußte, daß das völlig sinnlos war. Innerhalb weniger Minuten wimmelte das Unterholz von Männern, die sich ihnen von allen Seiten näherten. Jill faßte ihn am Arm und deutete auf einen kleinen Schuppen, der sich halb an eine Eiche lehnte und mitten auf ihrem Weg stand. Sie liefen auf den Unterschlupf zu. Auf einen Fußtritt öffnete sich quietschend die Tür und ließ sie in einen Raum, der nach Pilzen und muffiger Erde roch. Sie ließen sich jeder auf einer Seite unter einem Loch nieder, das irgendwann einmal ein Fenster gewesen war, und Essian fühlte auf einmal, wie ihn etwas Kaltes und Dunkles durchlief; eine Vorahnung des Todes. Jill berührte seinen Arm, als ob auch sie es gefühlt hatte, und dann rannte auch schon der erste ihrer Verfolger auf die Lichtung vor dem Schuppen.

Essian zielte mit dem Blaster, drückte ab, und einer der Männer taumelte getroffen und brennend zurück. Der Schock über das, was er getan hatte, lähmte ihn fast, bis der Mann von Ameritec zurückzufeuern begann. Sein Verstand war völlig leer, er nahm nur noch das Zischen von seinem und Jills Blaster wahr, den Hagel kleiner verkohlter Holzstückchen, als das feindliche Feuer durch das Fenster nach drinnen fuhr; die ständig steigende Wärme des Blasters verbrannte ihm die Hand. Halb bewußtlos sah er die stürzenden Körper der Männer, die versuchten, die Hütte zu stürmen, war sich auf einmal nur noch der Tatsache bewußt, daß sein Blaster nicht mehr schoß, obwohl er permanent auf den Feuerknopf drückte. Dann bemerkte er plötzlich, daß niemand mehr auf die Hütte feuerte, und daß an der Wand hinter ihnen Rauch hervorkroch. Flammen züngelten auf, und im Schuppen wurde es langsam heiß.

»Wir müssen hier raus«, sagte Essian.

Jill starrte auf ihren Blaster, und ihre Lippen zogen sich mit einem Fauchen hoch. Er schlug ihr ins Gesicht. Als sie ihn ansah verschwand der bösartige Ausdruck, ihre Augen nahmen ihn wieder wahr, und sie begann trotz der Hitze im Schuppen zu zittern. »Pa- Paul . . . Ich hab sie umgebracht, ich . . .«

»Laß uns gehn«, wiederholte er.

»Sie werden uns niederschießen.«

»Wir können aber nicht hierbleiben.« Er packte sie am Handgelenk und zerrte sie aus der Hütte, gerade als das trockene Fachwerk der Rückwand in den Flammen zusammenfiel. Die Angst vor dem Strahl eines Blasters kroch Essian in den Nacken, aber es feuerte niemand auf sie. Er fing an zu glauben, daß sie es schaffen würden, daß sie letzten Endes doch entkommen könnten. Eine riesige Gestalt trat hinter einem Baum hervor, und sie mußten stehenbleiben. Essians Knie drohten ihm den Dienst zu versagen, als er erst auf das Lasergewehr und dann auf das vertraute Gesicht starrte, das von den aufzüngelnden Flammen des Schuppens erleuchtet wurde.

XIV

Eric Winters sagte kein Wort. Essian starrte ihn an und versuchte diese letzte Katastrophe zu begreifen. Winters schaute zu einem Stapel Baumstämme auf seiner Rechten. Füße zertraten trockenes Unterholz und herabfallende Äste, und drei Männer in Ameritec-Grau traten auf die Lichtung. Einer feuerte auf sie und der Strahl schlug so dicht neben ihnen ein, daß er Essian die Wange wärmte.

»Hört auf damit«, schrie Winters. »Ich habe sie.«

Die Männer kamen näher. »Was machen Sie denn hier draußen?« sagte einer der Männer zu Winters.

»Sheth hat mich zur Unterstützung rausgeschickt. Ich kenne die Wälder um Meridian wie meine Westentasche, und ich kenne Paul – Ich kenne Essian, wußte, was er tun und wo er sich verstecken würde.« Als die Flammen des brennenden Schuppens ihren Höhepunkt erreicht hatten, nahm Essian das Glitzern eines Geländewagens durch die Bäume hinter Winters wahr. Die Männer senkten zwar die Waffen, aber keiner von ihnen nahm den Finger vom Abzug.

»Sieht so aus, als ob du gewonnen hättest.« Der Sprecher, ein Mann mit Winkeln auf den Ärmeln, blickte in die Richtung des Feuers. »Scheiße, hier liegen ja fünf Tote rum. Sie haben sie alle erwischt.« Er wandte sich Essian zu und richtete dabei den Blaster auf ihn.

»Reg dich nicht auf, Sarge«, beruhigte ihn einer der anderen, ein Mann, der einen Netzsprüher in der Hand hielt. »Es kommen noch zwei Trupps nach. Wir werden jetzt die Sache erst einmal hinter uns bringen; innerhalb von fünf Minuten werden wir sie draußen haben.«

Alle drei Männer schauten jetzt Essian an; keiner von ihnen bemerkte, wie Winters' Lasergewehr nicht mehr auf die Gefangenen, sondern auf sie selber wies. Essian ließ sich in dem Augenblick, als Winters feuerte, zu Boden fallen und riß dabei Jill mit sich. Der Strahl des Gewehrs zerriß die Brust von zwei Männern, der dritte aber schoß in dem Augenblick auf Winters, als der Strahl seinen Hals gefunden hatte, wo er Kehle und Schlagader zerriß. Ein fürchterlicher Laut kam aus der Kehle des Mannes, und er fiel nach vorne. Die Blätter um sein Gesicht färbten sich dunkel.

»Eric!« Jill sprang auf, um den massigen Mann aufzufangen und so seinen Sturz zu lindern. Essian schob sie beiseite und bettete Winters' Kopf in seinen Schoß. Eine häßliche, sichelförmige Wunde zog sich von seiner Schulter in einem Innenbogen bis an die Rippen herunter. Hinter Essian zerriß mit einem unnatürlich lauten Geräusch ein Stück Stoff und brachte ihn an den Rand eines Schocks. Wieder und wieder schluckte er, um dem trockenen Würgen in seinem Hals zu entgehen. Jill drückte einen Fetzen Stoff in seine Hand, und er preßte es auf die sprudelnde rote Fontäne, wo die Schlagader gewesen war Als ihm Essian das Tuch in die Wunde drückte, um den Blutfluß aufzuhalten, öffnete Winters die Augen.

»Mit mir ist's vorbei.« Seine Stimme klang erstaunlich laut.

»Nein! Wir können ...«

»Halt den Mund und hör zu, Paul.«

Essian nickte.

»Ich bin schon zu Ameritec übergelaufen, bevor die etwas von Janus wußten«, sagte Winters. »Aber das geschah nicht, um dich zu verkaufen. Ich wußte, daß du deinen Vertrag nicht brechen würdest, und sie hatten mir versprochen das zu akzeptieren. Sie sagten, daß sie Meridian daran hindern wollten, in den Besitz der Maschine zu gelangen. Haben versprochen, dir nichts zu tun. Das war es, was ich wollte. Ich habe ihr Geld ausgeschlagen. Ich hatte Angst, daß sie mich absägen würden, aber auch so ist es besser, die Macht gleichmäßig zu verteilen; das Gleichgewicht der Kräfte; wollte die Entwicklung so stoppen.« Als die Kraft der Stimmbänder nachließ wurde die Stimme schwächer. »Hab nie gewußt, daß sie Wanzen in meine Wohnung geschmuggelt hatten, sogar in meine Kleidung.

Daher wußten sie, wann sie auftauchen mußten, um dich zu schnappen. Ich hatte nichts damit zu tun, ich schwöre es.«

Essian nickte. Er konnte sich ausrechnen, wie Ameritec auch ohne Winters' Wissen an die halbfertige Gleichung gekommen war. »Wie bist du ihnen denn entkommen?«

»Ich habe mit ihnen gebrochen, nachdem sie dich niedergeschossen hatten. Sie haben nicht gewagt, mich weit zu verfolgen. Ging in mein Apartment, um Roshoff anzurufen, aber er war schon da. Ich hab ihm von der Entführung erzählt, aber mein Verhalten nicht erklärt. Nachdem sie weg waren ...« Winters' Kopf fiel zurück, aber er fuhr fort zu reden, nahm den Wettlauf gegen das Blut auf, das aus seiner Wunde strömte.

»Nachdem sie weg waren, saß ich nur da. Dann holte ich mir ein Seil und band es am Balkon fest. Paul, ich wollte, wollte ... Ich hatte mir das Seil schon um den Hals gelegt. Du hast mich angerufen, als ich gerade im Begriff war zu springen.«

»*Ich* hab dich angerufen? Eric ...«

»Nein. Hör zu. Bin direkt hierher gekommen. Das Auto ist dahinten.« Winters' Hand deutete in die Richtung des Geländewagens. »Nimm es. Halt nicht an. Die Patrouillen.« Winters' Hand tastete sich zu Essians Gesicht hinauf, aber kurz vorher fiel sie wieder hinunter, blieb einen Augenblick lang auf seiner Schulter liegen. »Wegen Jill Selby ..:«

»Das ist vorbei,« sagte Essian. »Ich hab dir weh getan. Ich würde verdienen, ... «

»Nein, sie ...« Winters Finger entspannten sich, und sein Arm glitt wie ein schlaffes Seil zu Boden. Zärtlich schloß Essian dem Freund die Augen. Jill fing an zu schluchzen. Eine Bewegung im Wald veranlaßte Essian, Winters' Kopf auf den Boden zu legen.

»Komm ...«

Der Geländewagen war lange nicht benutzt worden. Essian schlüpfte hinter die Kontrollen und manövrierte sie durch die ständig größer werdenden Lücken zwischen den Bäumen, bis sie über das Kraftfeld ins Parkland gelangten. Meridian Alpha erhob sich vor ihnen wie eine riesige juwelengeschmückte Säule, und sein heller Schein verdrängte die Nacht.

»Wir waren schon so nah«, murmelte Jill.

Essian warf einen Blick durch die Windschutzscheibe. »Flugpatrouillen. Sie müssen das Feuer gesehen haben.« Zwei Helicopter schwebten über ihnen und fegten mit ihren Suchscheinwerfern über den Boden. Essian drosselte die Geschwindigkeit des Fahrzeugs auf ein gemächliches Tempo und fuhr auf eines der Portale im Sockel des Städteturms zu. Nachdem sie im Innern der Stadt angelangt waren, parkte er auf einem der äußeren Parkplätze. Schweigend standen sie auf dem Fußgänger-Rollband und stiegen im zehnten Stock beim Motel-Bezirk aus. Essian beglich die Rechnung mit dem Geld aus dem Rucksack, als sie sich an der automatischen Rezeption eines Motels, das nur gegen Barzahlung arbeitete, eintrugen. Sobald sie in ihrem Zimmer waren und das Sicherheitsschloß eingerastet war, brach Essian auf dem Teppich, der weich wie ein Bett war, zusammen. Er hörte nur schwach wie Jill per Telefon ein Essen auf das Zimmer bestellte. Das Tablett fiel in den Schlitz, ein Geräusch, das für ihn in keinerlei Zusammenhang stand, das ihn erst erstaunte und dann aus seiner Erinnerung verschwand. Jill rüttelte ihn und rief ihn immer wieder beim Namen, bis er sich endlich aufrichtete, ein paar Eier aß und den Orangensaft trank. Er fiel zurück und ließ die Wärme des Proteins sich in seinen Kapillaren ausbreiten und seine Zellen mit Wohlbehagen füllen. Das letzte Geräusch, an das er sich erinnerte, war das Rauschen des Wassers in der Dusche, ein seltsam beruhigendes Geräusch.

Er rollte sich auf den Bauch und wußte auf einmal, daß eine ganze Menge Zeit verstrichen war. Jill lag in Höschen und BH neben ihm. Der Tri-V-Schirm über dem Bett war ganz leise gestellt und Essian bemerkte, daß der Sprecher seinen Namen erwähnt hatte. Er war auf einmal völlig wach, fühlte aber eine leichte Übelkeit, so als ob er unmittelbar aus einem Tiefschlaf erwacht sei.

» . . . ist es durchaus möglich, daß die Sicherheitskräfte von Ameritec den Projektleiter von Meridian verfolgt haben, nachdem er einem kühnen Entführungsversuch vor knapp einer Woche aus diesem Städteturm entkommen war«, erklärte der Sprecher soeben. »Dr. Essian arbeitete zu diesem Zeitpunkt an einem geheimen Projekt, von dem zuverlässige Quellen behaupten, daß es sich mit der direkten Umwandlung von Meerwasser in Energie befaßte. Augenblicklich durchkämmen die Sicherheitskräfte von Meridian das Waldgebiet um den Städteturm, um den vermißten Wissenschaftler zu finden. Unseren Berichten zufolge ist die Anzahl der mit der Suche befaßten Sicherheitsbeamten enorm, und die Operation wird von Kommissar Roshoff selber geleitet. Sobald wir nähere Einzelheiten erfahren, werden wir Sie weiter unterrichten.«

Jill schaltete den Apparat aus. »Früher oder später mußt du dich bei ihnen melden«, sagte sie.

Essian dachte über das eben Gehörte nach und wunderte sich, daß kein Wort über Jills Verschwinden gefallen war. Konnte es sein, daß während dieser Woche niemand ihr Verschwinden bemerkt hatte? Er setzte sich auf und starrte den dunklen Schirm eine ganze Weile an. »Du gehörst zu Roshoffs Leuten, nicht wahr?«

»Paul, ich arbeite im Sachbereich 'Theoretische Mathematik' von Meridian, Abteilung E.«

Er nickte.

»Ruf meinen Tutor an. Sein Name lautet Ezra Greenwood und die Nummer ist 8711.«

»Eric . . . nein, vergiß es. Es ist nicht weiter wichtig.«

»Hat Winters dir erzählt, daß ich für Roshoff arbeiten würde?«

»Ich möchte nicht über Winters sprechen.«

»Du hast ihn geliebt, nicht wahr?«

»Ich wollte ihn lieben. Ich hab . . . ich habe . . . ihn geliebt.« Essian hatte dem Kreuzfeuer der Gefühle standgehalten –

hatte die Worte ausgesprochen; aber daß es so schwer gewesen war, sie zu sagen! »Er hat mich niemals wirklich betrogen. Er war ein Mann mit Prinzipien und hat versucht, das Richtige zu tun. Sich zwischen seinen Gefühlen für mich und dem, was das Beste für die Gesellschaft sein würde, zu entscheiden. Als es schiefging, hat er ...« Essian konnte nicht weiter sprechen.

»Wie Judas«, sagte Jill, »im *Handbuch der Wahren Kirche*. Nur daß Judas sich erhängt hat, und Winters es im letzten Augenblick doch nicht getan hat. Er hat uns gerettet. Er hat eine ganze Menge Leute gerettet.« Sie rückte dicht an ihn heran, bedeckte seine Hände mit den ihren. Er nahm sie überdeutlich wahr, ließ seine Augen auf ihrem Gesicht verweilen; auf der hellen Erhebung ihrer Brüste über dem BH, wurde sich des Gestanks seines Körpers bewußt, der verfilzten Haare, des getrockneten Drecks in seinem Gesicht. An seinen Fingern befanden sich die trockenen Flecken von Winters' Blut, die inzwischen eine rostbraune Farbe angenommen hatten. Er stand auf, zog sich schnell aus und stellte sich unter die Dusche, ließ das heiße Wasser so lange auf sich hinunterprasseln, bis das kleine Badezimmer voller Dampf war. Als er aus der Kabine trat, wischte er den Spiegel sauber und verbrachte einige Zeit damit sich das nasse Haar aus der Stirn zu kämmen.

Jill hatte sich ganz ausgezogen und wartete auf ihn, die Wölbung ihres Rückens und die gespreizten Finger auf dem La ken signalisierten ihre Bereitschaft. Er kniete neben ihr nieder, streichelte ihr Schenkel, während sie mit leicht angezogenen Knien und halb geschlossenen Augen auch weiterhin auf der Seite liegenblieb. Ihre Haut fühlte sich unter seinem, von der heißen Dusche erhitzten Körper weich und kühl an. Essian blickte an sich hinunter und wurde bis ins Innerste von der plötzlichen, fast überwältigenden Erkenntnis erschüttert, daß er ein Mann war – im biologisch-sexuellen Sinne ein Mann. Die emotionale Wucht dieser simplen Konzeption füllte ihn mit Staunen. *Er war ein Mann. Er war ein Mann. Er war ein Mann*, und bis zu dieser Minute war es ihm nicht *bewußt* gewesen!

In seinen Gedanken zog die Vernunft sich zurück. Er küßte ihr Gesicht, ihre Wangen, die Mundwinkel; fuhr mit der Zunge über ihren Kieferknochen, bis sie ihm ihren Mund entgegenhob. Als sich ihre Zungen trafen und einander erforschten, spielte das bewußte Denken keine Rolle mehr. Seine Hände fanden ihre Brüste und nahmen von ihnen Besitz. Ihr Körper schien sich unter seinen Händen zu erwärmen, erwachte zu eigenem Leben, als sie sanft stöhnend und mit halb geöffnetem Mund die Hände nach ihm ausstreckte; unter dem Ansturm des Blutes schien sich die Zeit auszudehnen, ein Teil von ihnen zu werden.

Als er endlich in sie eindrang, war ihre Lust so vollkommen, daß sie immer und immer wieder nach Atem ringen mußten. Ein letztes Feuerwerk ihrer Sinne.

Noch lange danach hielten sie einander umschlungen, lagen dicht aneinandergeschmiegt, atmeten im selben Rhythmus und fühlten, wie ihre Herzen ihr mörderisches Hämmern allmählich verlangsamten. Eine ganze Weile später rollte sich Essian zärtlich auf die Seite und setzte sich im Schneidersitz hin, fühlte die feste Matratze unter sich. Auch Jill richtete sich auf und schlang die Arme um ihre Knie.

»Was wirst du jetzt tun?«

»Ich weiß es nicht«, sagte Essian.

»Du meinst, daß du Janus vielleicht nicht an Meridian aushändigen wirst?«

»Ich muß dauernd an Eric denken; was er zu tun versucht hat.«

»Eric Winters hat geglaubt, daß du wichtiger seist als die Maschine.«

»Er hat sich geirrt.«

»Das glaube ich nicht.« Jills trauriges, kleines Lächeln schien noch etwas anderes zu verbergen; ein unruhiges Gefühl beschlich Essian. Er erinnerte sich daran, daß Jill draußen im Parkland Winters bei seinem Vornamen gerufen hatte, daß sie über seinen Tod bittere Tränen vergossen hatte, obwohl sie ihn nie zuvor gesehen hatte.

Als wenn sie seine Gedanken lesen könnte, sagte Jill: »Du kannst die Frage danach, wer ich nun eigentlich bin, einfach nicht aus deinen Gedanken verbannen, nicht wahr?«

»Ich hab es dir doch gesagt, es ist ganz gleichgültig.«

»Nein, das ist es nicht.« Als ob sie sich eben ihrer Nacktheit bewußt geworden wäre, verschränkte sie die Arme über der Brust.

Essian beugte sich nach vorne. »Also, was ist los?«

»Ich bin sehr froh, daß wir Zeit füreinander gefunden haben«, « sagte sie sanft.

»Wovon redest du überhaupt? Wir stehen doch erst am Anfang.«

Ihr Kopfschütteln machte ihm Angst. »Die Zeitmaschine, du *wirst* sie bauen«, sagte sie.

Er wollte ihr eine Antwort geben, aber dann hatte sein Verstand den tieferen Sinn der Worte erfaßt und fing an, sich um sich selbst zu drehen. Alle Ereignisse der vergangenen Wochen drängten sich ihm auf, eine Reihe von Vorstellungen, die so gestochen scharf waren, daß Jill davor verblaßte. Er hatte die Kontrolle über sich selbst verloren und sich mit der Janus-Gleichung abgemüht, als sie das erste Mal in seine Traumwelt und dann in sein Leben getreten war. Es war wahr, sie war ihm in der Bar aufgefallen, er hatte sie angesprochen, er hatte sie von dem Urlaub am Meer abgehalten, jede Mauer war auf Grund seiner Initiative gefallen, aber erst jetzt nahm dieser seltsame Zwang einen erschreckenden Sinn an. Im Nachhinein war es klar: Er war auf dem Weg gewesen, sich selber zu zerstören, sich in seine Bestandteile aufzulösen. Sie hatte ihm Frieden gegeben, war einfach erschienen – *woher?* – hatte sich seiner Psyche angepaßt, war der Schlüssel zu seinem Selbst geworden, und zwar genau in jenem Augenblick, als er dafür empfänglich gewesen war. Er wollte es irgendwie nicht wahrhaben, drückte sich um die schreckliche Frage des *wie* und nahm dann zitternd von dem ganzen Thema Abstand. *Du wirst sie bauen,* hatte sie gesagt. Er erinnerte sich an die Nacht, als er und Winters über ein bestimmtes mögliches Paradoxon der Zeitreise diskutiert hatten. Er sah sie an, betrachtete den ruhigen, nach innen gekehrten Gesichtsausdruck, mit dem sie wartete; er spürte, daß sie genau wußte, was der nächste Augenblick bringen würde, ... als ob, *nein*, als ob, *Himmel, nein. Als ob es sich bereits ereignet hätte.*

»Ich will deinen Fuß sehen«, sagte er mit einer Stimme, die zu rauh, zu weit weg war, um seine eigene zu sein. Als sie sich ohne zu zögern zurücklehnte und dabei auf die Hände stützte, um ihm ihren Fuß entgegenzustrecken, wußte er noch, bevor er es gesehen hatte, was ihn erwartete. Er packte ihn, die Haut unter seinen Fingern wurde weiß und starrte auf die unverkennbare, halbmondförmige Narbe an ihrer Ferse – die Narbe, die *er/sie beide/sie* sich vor drei Jahren während der Strandparty eines Rekrutierers zugezogen hatte, als er in die Scherben einer Whiskyflasche getreten war.

XV

»Jack und Jill liefen auf den Hügel
Wollten einen Eimer Wasser holen;
Jack fiel hin und zerbrach die Krone,
Jill purzelte hinterher.«

*

Essian ließ Jills Fuß los und stand taumelnd auf. Das Blut schoß ihm in den Kopf und umrahmte alles, was er sah, mit einem roten Kreis. Er schrie etwas, das er selber nicht verstehen konnte.

»Paul! Paul! Paul!«

Sie rief seinen Namen; aber es war ihr Name, denn sie war er, dabei konnte sie es nicht sein, denn er war ein Mann, ein Mann. Oh Gott, oh mein Gott, war er gar kein Mann? Sie war aufgetaucht, und er hatte geglaubt, sie habe ihn gerettet. Aber jene Stelle, in die er eingedrungen war, war durch ein Messer entstanden – das Messer, das jene Stelle geschaffen hatte, indem es seine Männlichkeit entfernte – und sie hatte ihn nicht gerettet, sie hatte ihn zerstört.

»Hör mir zu«, schrie sie ihn an.

Der rote Kreis vor seinen Augen war jetzt sehr eng, umrahmte sie, schloß alles andere aus. Er stürzte sich auf sie, bekam sie am Arm zu fassen, als sie sich duckte, und zerrte sie zu sich heran. Sie versuchte nicht mehr, auf ihn einzureden und fing an zu schreien, als sie zusammen aufs Bett fielen. Er wich ihrem Tritt aus, der auf seine Leistengegend gezielt hatte, *nur zu, du Miststück, tritt mir doch in die Eier, du Aas, verdammtes Miststück, Miststück* Sie wehrte sich, aber er hatte sie am Hals gepackt, hielt sie fest und setzte sich dann rittlings auf sie und fühlte noch nicht einmal, wie ihre Nägel ihm Arme und Hände zerkratzten. Die Augen traten ihm aus den Höhlen, während die ihren immer größer wurden, sich schließlich verdrehten – eine Warnung schrillte, daß er den elektrischen Schock gespürt hatte, den man doch ihr verpaßt hatte; aber er war schon weit weg von der Oberfläche seines Denkens, war längst in den Tiefen, in die sie ihn gezogen hatte. Durch das Geräusch seines eigenen unregelmäßigen Atems hörte er sie gurgeln. Ihr Mund verzog sich und schnappte nach Luft. Er versuchte zu atmen,

aber die Lungen wollten sich nicht mehr weiten, *und sie würden beide sterben, und so sollte es dann sein.*

Von einer Sekunde auf die nächste erschlaffte sie unter ihm. Er ließ von ihn ab, als ob jede einzelne Sehne mit einem einzigen Schlag von ihrem Muskel getrennt worden sei, und die Zeit dehnte sich in endlosen Sekunden. Irgend etwas in ihm weigerte sich, zu denken; er befand sich am Grunde eines Sees, in dem er ewig treiben konnte, solange ernicht versuchte, an die Oberfläche zu gelangen. Aber die visuellen Eindrücke begannen an seiner Hirnrinde zu zerren, bis er ganz automatisch, gewohnheitsmäßig anfing, sie zu analysieren. Jill lag mit ausgebreiteten Armen da, das Gesicht war fleckig und hatte sich bläulich verfärbt, auf der Wange waren ein paar Speicheltröpfchen zu sehen. Jetzt bemerkte er auch, daß sie den selben Knochenbau hatte wie er, nur daß die Hormone und Implantate ihr Hüften und Brüste gerundet hatte. Aber die Verwendung von Make-up, das Fehlen der Bartstoppeln auf ihrer Wange, und das völlig andere Aussehen von Gesicht und Haaren ließ sie einander unähnlich erscheinen *Nein, dieses Gesicht hätte er nie als sein eigenes erkannt.* Auch ihre Nase war durch eine kosmetische Operation verändert worden; im Gegensatz zu seiner eigenen geraden Nase hatte man ihrer einen kecken Aufwärtsschwung gegeben. Im Gegensatz zu seiner *gegenwärtigen* Nase.

Plötzlich waren die Gefühle wieder da, überfluteten ihn, und er richtete sich auf den Knien auf, zog sich von ihrem Körper zurück. *Er hatte sie umgebracht, und die Zeit würde vergehen, und er würde als Frau in dies Zimmer treten und von dem Körper erwürgt wer-in den er jetzt war, von diesem gräßlichen Männerkörper mit seinen*

Mörderhänden .. Er trat mit den Füßen gegen die Wand und starrte sie an, dann aber machte sein Herz einen Sprung, begann vor Erleichterung und verrückter Freude zu hämmern, als er sah, wie sie die Finger bewegte. Ein kläglicher Laut kaum von ihren Lippen, zitternd hob und senkte sich ihre Brust – hob und senkte sich ihre Brust – hob und senkte sich. Das Gesicht bekam wieder Farbe, sie stöhnte, und nach einer Weile richtete sie sich auf, um vorsichtig ihren Hals zu betasten.

Auch als sie aufstand und mit unsicheren kleinen Schritten durchs Zimmer ging und sich an die Wand lehnte, bewegte er sich nicht. Als sie endlich wieder zum Vorschein kam, trug sie den Thermo-Anzug, den sie während der Flucht getragen hatte, und Essian hatte sich bis auf das Zittern seiner Hände wieder beruhigt. Er stand auf und zog den anderen Jumpsuit an. Jill setzte sich, und weil ihre Stimme noch so dünn und heiser war, daß man sie kaum verstehen konnte, zog Essian einen Stuhl heran und ließ sich ihr gegenüber nieder. Er war überrascht, daß er ihr ins Gesicht blicken konnte, daß er sowohl sich selbst, als auch eine andere Person darin erkannte. Es schien irgendwie nicht wahr zu sein, konnte nie ganz wahr scheinen, daß hier *tatsächlich* zwei Wesen im Raum *waren* und nicht eines. Als er sich dann aber nicht mehr gegen die Überzeugung wehren konnte, wurde ihm klar, daß er gerade eine große Kluft überwunden hatte. Er konnte sie ansehen, konnte daran denken, was sie getan hatte, ohne durchzudrehen. Die Einsichten begannen zu fließen, als ob ein geistiger Damm gebrochen sei und Wasser der Erkenntnis, der Offenbarungen in das lange ausgetrocknete Hinterland seines Verstandes strömten. Er begann zu verstehen, weshalb er sie angegriffen hatte, daß es nicht gewesen war, weil sie ihn hintergangen hatte. Sein Verstand zuckte zurück, denn noch blendete und schmerzte ihn diese Fähigkeit zu sehen.

Essian bemerkte, daß sie erneut zum Sprechen ansetzte. Er beugte sich vor, spürte unfaßbare Wellen der Anziehung und gleichzeitig der Abneigung.

»Es ist getan«, murmelte sie. »Du hast es aus dir 'rausgelassen, alles, was du über all die Jahre hinweg in dich hineingefressen und dort vergraben hattest. Du hast es an mir abreagiert ... Es ... es tut mir l ...«

»Nicht. Es hat keinen Sinn, sich bei mir zu entschuldigen. Es mußte bei mir geschehen, es mußte dieser Teil von dir selbst sei«, sagte sie, während sie auf sich selbst zeigte. »Jetzt bist du in Ordnung.«

»Ja, tatsächlich?« Er wurde gewahr, daß die Frage blödsinnig war, denn über all das hinaus, was er an Kraft zum Widerspruch aufbringen konnte, wußte sie es besser. Und warum sollte er ihr widersprechen wollen? Sie hatte gesagt, daß er sie hatte angreifen müssen, daß er es an ihr herauslassen mußte,und so war es ja auch gewesen: Es war ein unwiderstehlicher, mörderischer, sinnloser Zwang gewesen. Und er hatte *gewußt,* daß sie er selber war. Daß sie er war, war überhaupt der Grund für seine Wut gewesen. Aber es war jetzt vorbei. Es war vorbei und schon fast nicht mehr wahr. Die Wut war aus ihm heraus, und er fühlte sich gereinigt. Sie hatte gesagt, daß er jetzt in Ordnung sei, und er wollte, daß es stimmte, oh Himmel, wie sehr er es wollte. Aber er war immer noch er selbst und nicht sie, noch nicht, und die Zukunft sah noch immer verworren aus, ungewiß.

»Wie konntest du es wagen zurückzukommen?« fragte er. »Wie konntest du ...«

Sie hob die Hand. »An diesen Teil erinnere ich mich sehr genau. Du fragst dich, wie ich es vermieden habe, von dem Drehbuch abzuweichen, das ich bereits durchlebt habe, und Paradoxone zu erzeugen.«

Essian nickte, und die Bewegung des Kopfes schien ihn schwindlig zu machen, aber er wußte, daß es nicht die physische Bewegung war, sondern der Ansturm von Unmöglichkeiten, die nicht mehr länger unmöglich waren.

»Das war kein Problem«, sagte sie. »Erinnerung, sogar ein eidetisches Erinnerungsvermögen ist nicht dasselbe wie Erfahrung.

Ich habe dies alles niemals als ich, sondern immer nur als du durchlebt. Was ich tat, gab mir das Gefühl aus freiem Willen zu handeln« Sie lächelte. »Trotzdem hatte ich manchmal das Gefühl des de ja vu.«

Essian rieb sich die Stirn. »Das glaube ich nicht.«

»Du wirst schon noch. Das Schwierigste daran ist, zu akzeptieren, daß die alte Logik hier nicht anwendbar ist. Was wie ein Widerspruch aussieht, ist in Wirklichkeit nichts anderes als eine neu entdeckte Realität. Ursache und Wirkung müssen überdacht werden, vielleicht muß man sogar ganz von ihnen Abstand nehmen. Du hättest die Gleichung nicht gelöst, wenn ich nicht zurückgekommen wäre, aber ich wäre nicht zurück gekommen, wenn du nicht die Gleichung gelöst hättest. Was ist nur die Ursache und was die Wirkung? Nach dem alten Verständnis der Dinge ist das völlig unmöglich, aber es ist geschehen, und so werden wir unser Verständnis erweitern müssen. Dies mag letztlich die größte Leistung der Zeitreise für die Menschheit sein. Aber der Mann, der versucht hat, dich umzubringen, kam auch aus der Zukunft. Es gibt dort eine kleine fanatische Gruppe, die den Tag verflucht, an dem du . . .ich geboren wurde.«

»Nur eine kleine Gruppe?«

»Veränderung ist niemals leicht. Ich weiß, genausowenig wie du, wie die Langzeitwirkungen der Zeitreise aussehen werden, aber Erics Befürchtungen werden sich nicht bestätigen, denn bislang sind noch keine Ungeheuer aus der ferneren Zukunft aufgetaucht. Die menschliche Spezies paßt sich an. In wenigen Wochen werde ich eine Expedition biologischer Beobachter ins Paläozoikum zurückführen.«

»Ich habe daran gedacht . . .« Er hielt inne und bedeckte das Gesicht mit den Händen.

»Ich weiß.«

Eine Minute lang saßen sie ganz still, drangen bis ins Herz der Sache vor, bis zum *persönlichen* Teil: dem Grund, warum ein Mann, ein Kranker, hin- und hergerissener Mann der

Menschheit die Möglichkeit gegeben hatte, in der Zeit zu reisen.

»Du hast mich manipuliert«, sagte er.

»Ach, hör schon auf. Ich bin zurückgekommen, weil das die einzige Möglichkeit war mich, dich, zu retten. Du bist ein netter Mann, Paul. Ein guter Mann, und sehr *männlich*.«

Essian fühlte, wie er eine Erektion bekam, und er stöhnte über die Absurdität der Angelegenheit. »Himmel, das ist der Gipfel an Narzißmus.«

»Nicht wirklich«, sagte sie. »Ich bin ich und du bist du. Wir teilen eine Menge mehr Erfahrungen als die meisten Liebespaare ...«

»Laß das!« Seine Stimme klang verzweifelt, und er schrie fast.

»Als die meisten Liebespaare«, wiederholte sie stur. Sie nahm seine Hände, streichelte die Handrücken mit den Daumen und seine Erektion fand neue Kraft. Obwohl er sich darüber im klaren war, was dieses Wissen für sie bedeutete, fühlte er sich noch immer unwiderstehlich von ihr angezogen. *Aber sie war nun einmal nicht er. Sie war eine Frau und er war ein ... was war er eigentlich?*

»Ein Mensch«, sagte sie.

»Tu das nicht.«

»Tut mir leid. Ich lese nicht wirklich deine Gedanken, ich erinnere mich bloß. Du hast dagesessen und dich gefragt, was du bist, und das ist auch ein Grund, weshalb ich zurückgekommen bin. Wie du vor ein paar Stunden entdeckt hast, habe ich den Körper eines Mannes aufgegeben und bin als Frau zurückgekehrt, um dir zu helfen, den Teil deiner selbst zu finden, der dich so sehr verwirrt.«

»Aber das ist verrückt! Das heißt doch, daß ich die Ordnung ...«

»Nein, nicht die Ordnung; du kannst nie wieder die psychologische Ausrichtung ändern. Alles, was ich aufgegeben habe, war das Organ, nichts weiter als ein Körperteil. Nebenbei, es ist zur Wiederverwendung eingefroren. Wenn ich will, kann ich zurückgehen und mich schon morgen wieder umstellen lassen.«

»Willst du das denn?«

Sie lächelte und drückte seine Hand. »Das werde ich dir nicht sagen, Paul, denn es ist überhaupt nicht wichtig, wenn sich dieser ganze psychologische Nebel erst einmal gesetzt hat, dann wirst du das von ganz allein herausfinden. All die Jahre über hat es zwei Seiten deines Wesens gegeben, die sich an verschiedenen Wänden einander gegenüber kauerten. Diese Teile mußten wieder vereint werden.«

»Zwei Teile . . .« Essian hielt inne und vergegenwärtigte sich, das eben Gehörte und wiederholte es immer und immer wieder. *Zwei Teile. Eine Spaltung. Eine schreckliche Spaltung.*

»Diese zwei Teile sind das, was du immer unbarmherzig in Gruppen eingeteilt hast«, sagte sie. »Letztlich sind diese Gruppen künstliche Unterteilungen, und die Spaltung war für dich ausgesprochen schädlich. *Männlich. Weiblich.* Du bist ja fast verrückt geworden, weil du dich diesen Begriffen unterworfen hast; weil die flüchtigen Einblicke in dich selbst, die du ertragen konntest, die Empfindungen, Lieben und Vorlieben, Gefühle und Denkweisen zeigten, die du aufgrund deiner Definitionen nicht akzeptieren konntest. Ich habe gesagt, du seist ein männlicher Mann. Sieh mich an. Bin ich eine anziehende Frau?«

Essian nahm ihre Hand und legte sie in seinen Schoß.

»Siehst du«, sie lächelte, wurde aber gleich darauf wieder ernst. »Aber sexy und männlich zu sein ist nicht der springende Punkt. Wir zermartern uns unser Gehirn über die *tiefere* Bedeutung der Sexualität; wir werden schizophren; wir hassen, wir vergewaltigen, legal so gut wie illegal; wir prostituieren uns, wir richten Mauern um uns auf, wir machen uns Gedanken darüber, ob wir hinreichend männlich oder weiblich sind: wir haben Angst, daß wir irgendwo, tief in unserem Innern, *verdreht* sein könnten und all das nur, weil wir nicht begreifen, daß die Unterscheidungen, die Mauern, die wir in und zwischen uns aufgerichtet haben, künstliche sind, hassenswert. In uns allen liegt die ganze Skala menschlicher Liebe und menschlichen Verstehens. Teile es auf – mache Einschränkungen, welche Menschen du lieben kannst und wie du sie lieben kannst –, und du brutalisiert dich und die Gesellschaft. Entscheide dich, wer du nicht sein, wie du dich nicht verhalten, welche Gefühle du nicht haben oder ausdrücken, sogar welche Gedanken du nicht denken darfst, und du wirst zur Ratte, die sich in ihrem selbst geschaffenen Labyrinth verirrt.« Ihre Augen wurden feucht, sie weinte, aber das Gesicht blieb merkwürdig ruhig.

»Was ... warum ...?«

»Ich habe an Eric gedacht. Er hat dich sehr geliebt. Aber er hätte mich nicht lieben können, und ich bin auch du.«

Essian schüttelte den Kopf. *Es war alles so plötzlich gekommen, so überwältigend. Wie konnte er je hoffen zu verstehen, was geschah?*

»Du wirst dich damit abfinden. Ich bin der Beweis dafür, daß du alles an dir akzeptieren und lieben lernen wirst, das du es zulassen wirst, all das zu sein, was du wirklich bist. Es wird dich nicht länger quälen, daß deine Mutter eine andere Frau liebte, daß du dich fast in einen anderen Mann verliebt hättest; daß die erste Frau, die du wirklich geliebt hast, nur du selber warst.«

Er hörte ihr halb betäubt zu, aber mit der Überzeugung, daß ihm ihre Worte klar werden würden, wenn er sie festhielt, sie erforschte. *Zeit. Er brauchte Zeit.* Er suchte Zuflucht in der Erinnerung, spielte noch einmal die Begebenheiten der letzten paar Tage durch und durchsuchte sie nach weiteren direkten Bedeutungen.

»Der Troll!« sagte er unvermittelt.

Sie nickte und wußte wieder einmal seine Gedanken im voraus. »Ich glaube, daß waren wir. Ich muß aus *meiner* Zukunft zurückgekommen sein, um uns aus Ameritec rauszuholen.«

»Deshalb hat Eric auch geglaubt, daß ich ihn gerufen hätte,

um uns im Wald zu stellen. Diese Gegenwart war ganz schön mit Essians bevölkert.«

»Es waren zu viele.« Jill blickte auf die Uhr. »In wenigen Minuten werde ich in meine Zeit zurück müssen.«

»So bald schon? Ich ...«

Sie zog Essian zu sich heran und küßte ihn. Er vermochte nichts zu denken, und so ließ er seinen Körper einfach antworten, nur antworten, und eine lange Zeit lehnten sie sich aneinander. Das Knallen verdrängter Luft war zu hören. Allein der Anblick der Maschine ließ Essian bereits den Atem stocken, das anmutig geschwungene Kraftfeld in Form einer Glocke, das innerhalb eines großen Chrom- und Silberkäfigs schimmerte wie die Flügel einer Eintagsfliege in der Sonne. »Roshoff wird jetzt jede Minute hier sein«, sagte sie. »Du überlegst dir besser eine Entschuldigung.«

»Der, der uns gerettet hat«, sagte Essian. »Derjenige von uns aus unserer gemeinsamen Zukunft war das – wird das ein Mann sein oder eine Frau?«

Sie lächelte.

»Bin bloß neugierig«, brummelte er. »Nur neugierig. Du kannst dir nicht denken ...« Er hielt inne und streckte die Hände ein letztes Mal nach ihr aus, dann verschwand sie, und jetzt gab es nichts mehr, das seine Tränen zurückgehalten hätte.

ENDE